知的生産力

齋藤 孝

CCCメディアハウス

はじめに

すべての人間が情報発信できるのは、人類史上初の快挙

インターネットの時代とは、「インプットとアウトプットが入り乱れる時代である」と私は解釈しています。

【インプット】
知識・情報を吸収すること。
【アウトプット】
発信すること。自分の考えを表現する、口にする、文章にすること。
インプットしたものを仕事に発揮すること。

インターネットが普及する以前は、個人が世の中に情報発信をするのは難しいことでした。情報発信できたのは、「テレビ」「ラジオ」「新聞」「雑誌」などのマスメディアと、そのメディアから認められた一部の文化人、知識人、有識者だけでした。

昔から個人の記録を残す手段として、日記を書く人はいました。日記は「日常の出来事や自分の思いを記録する」ための手段ですから、ブログ

（ウェブログの略。ウェブページに記録する）の特性に似ています。

しかし日記は、「ほかの人は読まない」ことが前提です。日記は、自分で書いたものを自分で読み返す自己循環ツールであって、情報を「アウト（外部）」に発信するメディアではありません。


インターネットの時代は、誰でもメディアを持つことが可能です。ホームページ、ブログ、ＳＮＳ（ソーシャル・ネットワーキング・サービス）、「YouTube（ユーチューブ）」などを通じて、全世界の人間が情報発信できるようになっています。

市井（しせい）の人が、これほど多くのメディア（アウトプットの手段）を手にしたのは、人類史上初めてのことです。


古代ギリシアの典型的ポリス（都市国家）であるアテネでは、市民が直接的に政治参画する民主政治（直接民主制）が実現していました。

アテネの民主政治は、現代のそれとは大きく異なります。

現代の日本の政治は、代表者である議員を選ぶ間接民主制ですが、古代アテネでは、成人男性のみが直接民会に参加する直接民主制でした。女性と奴隷は政治から排除されていましたし、外国人には参政権はもちろん、不動産所有すら禁じられていました。民主制といっても、すべての人が権利を認められているわけではなかったのです。

「人民が権力を所有し行使する」という民主主義の概念から考えると、全世界の人間がメディアの力を行使できる今の社会は、本当の意味で民主的です。

今のこの時代は、歴史上で初の直接民主主義にあたる「直接制アウトプット環境」が整った時代なのです。

SNSは、
自分の内面をさらけ出してしまう

自分の考えや日常生活を多くの人と共有できること、自分の投稿に対する読者からの反応をすぐに確認できることなどが、SNS利用者の大きな魅力となっています。

一方で、誰もがアウトプットできる手軽さから、不適切投稿による炎上問題など、さまざまなトラブルが急増しています。

総務省が公開している「国民のための情報セキュリティサイト」による

と、「Google」における「Twitter炎上」「Facebook炎上」の日本での検索頻度は、２０１０年ごろから年々高まっています。

特に２０１３年以降、飲食店、コンビニエンスストア、ホテル、交通機関などにおける不適切投稿が注目され、「Twitter炎上」の検索頻度は急上昇しています。

ＳＮＳは、「自分の内面をさらけ出すツール」です。

18世紀のフランスの博物学者ビュフォンは、「文は人なり」という言葉を残しています。

文章には、書き手の人となりがにじみ出るものです。書き手の知識、表現力、思考力、知性、感性、品性、価値観が文章を通じて表れます。

「Twitter」が「バカ発見器」や「バカッター」と揶揄されるのは、「投稿が世界に露出している」「ＳＮＳは誰でも見られる場である」という自覚が足りないからです。

「直接制アウトプット環境」に身を置く私たちは、誰でも有益な情報を届けることができます。だとすれば、誹謗中傷、嘘、そのほかの反社会的行動をさらすのはもったいない。インターネットを使った「知的生産」を目標にすべきではないでしょうか。

【知的生産】

新たなアイデア・工夫を思いつき、世に出したり、人に伝えること。ツイートを書いたり、ブログを更新したり、絵を描いたり、曲を作ったり、写真を撮ったり、人と会話をするといったアウトプットを知的にすること。

人間の脳は、知的な情報を求めている

人間を人類学上で分類するとき、現生人類(げんせいじんるい)を「ホモ＝サピエンス」と呼びます。ホモ＝サピエンスとは、18世紀中期の博物学者リンネが提唱した学名です。

「ホモ（homo）＝人間」「サピエンス（sapiens）＝賢い」の意味で、日本語では、

「知恵ある人」と訳されます。

人間は、すべて知恵あるものです。

人間は、すべて知的な存在です。

人間の脳は、知的な情報を求めています。


知的とは、知識・知性に富んでいること。

そして知的な情報とは、アウトプットにふれた人が、

「満足できる」

「気づきがある」

「勉強になる」

と判断できる情報のことです。


人間は、本能的に知的さを必要としています。ＳＮＳのフォロワーやアクセス数が減る原因は、投稿の内容に知的さが足りないから。つまり、「退屈」だと思われているからです。

知的生産とは、
新しい情報をわかりやすく伝えること

人間の脳は、「単調なことの繰り返し」や「新しさを感じないもの」に

対して、退屈感を覚えます。

校長先生の朝会の講話が「退屈だ」と時折言われるのは、子どもたちの知的好奇心を満たしていないからです。

私の中学時代の校長先生は、知的生産力の高い先生でした。

校長先生は、大学で教鞭をとったこともあるルネサンスの専門家です。朝会ではルネサンスを題材にしながら、新しい文化を生み出す楽しさや、思想、文学、美術、建築などの素晴らしさを話してくれました。

私が校長先生の講話に飽きることがなかったのは、知的な満足感があったからです。

文化人類学者だった梅棹忠夫(うめさおただお)さんは、著書『知的生産の技術』(岩波新書)において、「知的生産とは、『頭をはたらかせて、なにかあたらしいことがら――情報――を、ひとにわかるかたちで提出すること』」と定義しています。

知的生産とは、「知的情報を生産すること」であり、新しさ、意外性、気づきをわかりやすく伝えることなのです。

知的生産の大前提は、「知的な素材を扱う」こと

では、どうすればアウトプットを知的にできるのでしょうか。どうすれば知的な情報を生産できるのでしょうか。

アウトプットを知的にする基本的なやり方は、知的な素材・題材・テーマを選ぶことです。

たとえば、職場の朝礼でスピーチをすることになったとします。そのとき、

「最近、めっきり涼しくなってきましたね。薄着で寝たら、風邪を引いてしまいました。風邪が流行っているようなので、みなさんも気をつけてくださいね。そういえば、こんなこともありました……」

と、自分の身の回りの出来事を、なんとなく、とりとめもなく、たわいもなく話したところで、その話を聞いた人は、「満足した」「気づきがあった」「勉強になった」とは思わないはずです。

一方、スピーチの題材の知的レベル、教養レベルが高ければ、仮に伝え方がつたなかったとしても、アウトプットを知的にすることができます。

「先日、『言志四録』という本を読みました。この本は、幕末の儒学者、佐藤一斎が四十年近くにわたって書いた語録です。指導者のためのバイブルと呼ばれ、現代まで長く読み継がれています。

佐藤一斎は、『言志四録』の中で、『三学戒』という言葉を残しています。

『少にして学べば、則ち壮にして為すことあり。
壮にして学べば、則ち老いて衰えず。
老いて学べば、則ち死して朽ちず』

少年のときに学んでおけば、大人になってから役に立つ。大人になったときに学んでおけば、老年になっても気力が衰えることはない。老年になって学んでおけば、見識はさらに高くなって、死んでからも名を残すことができる。

つまり佐藤一斎は、『人は老いるまで学び続けるべきだ』と説いています。

学びをやめることとは、成長を止めることであり、衰退を意味しているのですね。今日という日を無駄に消費することなく、学びと成長につなげていきたいと思います」

『言志四録』のような知的な素材を取り上げれば、アウトプットはおのずと知的になります。**聞き手の気づきを促したり、ビジネスのヒントにもなる**からです。

この本自体は、自分のアイデアではなくても、ほかの人にとって新しい知識であれば、意味があります。

知的でないものを素材とする場合には、途端にハードルが高くなります。インスタ映えするスイーツや料理の写真をアップしただけでは、「いいね」はもらえても、知的な刺激にはなりにくい。よほど気の利いたコメントを添えなければ、知的に伝えるのは難しくなります。

知的生産の基本は、インプットした知的な情報をアレンジして、わかりやすくアウトプットすることです。

本書では、

- **知的な情報をどのようにインプットするか**
- **インプットした情報をどのようにアレンジするか**
- **アレンジした情報をどのように伝えるか**

その方法についてご紹介します。

本書が、インターネット時代における知的生産のヒントになれば、著者としてこれほどの喜びはありません。

第3章

ビジネスで使うアウトプット
——質の高い仕事をするために

第4章

働き方のマインドセット
——結果を出すために、どう考えるか

第1章

今日から始める知的生産

——アウトプットを始める前に

アウトプットを想定して、インプットする

価値ある情報も、活用しなければ持っていないのと同じ

「学んだ知識を役立てることができない」「本を読んでもすぐに忘れてしまう」「情報に振り回される」など、インプットした知識を使いこなすことができないとしたら、その原因のひとつは、「アウトプットの回路ができていない」ことです。

インプットとアウトプットは、ふたつでひとつのセットです。情報をインプットしたら、実践につなげる。「読む、書く（描く）、話す」ことによって、情報は血肉に変わります。頭の中に価値のある知識、知恵、ノウハウが入っていても、それを実際に活用しなければ、持っていないのと同じです。

私は、「本によって人生を切り開いた」と言い切れるほど、読書好きです。**読書の最大の面白さは、仕入れた知識をアウトプットすることにあります。**

アウトプットの必要性がないインプットは記憶に残りにくいため、**アウトプットを想定してインプットするのが基本**です。

「せっかくインプットしたのだから、いつかアウトプットしよう」ではなく、「アウトプットしなければいけない」という強制力を働かせる。「アウトプットする必要があるから、インプットしよう」と考えたほうが、学習の精度は上がります。学習のサイクルは、アウトプットが起点です。

「必要は発明の母」という諺（ことわざ）があるように、不足や不自由さを克服したいという必要性を感じるからこそ、発明は生まれます。勉強も発明と同じであり、「必要は勉強の母」です。

以前、交渉術の本を共著で出したことがある射手矢好雄（いてやよしお）さんは、国際案件を数多く手がける渉外弁護士（国際性のあるビジネス法務を扱う弁護士）です。

アメリカの企業と渡り合うために「英語」を勉強し、中国法務に精通するために「中国語」を習得しました。

語学が堪能だったから渉外弁護士になったわけではなく、弁護士としての活動（アウトプット）をするために、語学を身につける（インプット）必要があったわけです。

覚えても忘れてしまうのは、すぐにアウトプットをしないから

本に書いてあったことをすぐに忘れてしまうのは、「読みっぱなし」になっているからです。どれほど情報を詰め込んでも、アウトプットしないと記憶に残りません。

忘れないために必要なのは、「すぐに思い出すこと」「何度も思い出すこと」です。**記憶力はアウトプットすることで鍛えられます。**インプットした情報を定着させるためにも、アウトプットは重要です。

【すぐにアウトプットするための3つの方法】

① その日のうちに人に話す

知的な情報にふれたら、その日のうちに誰かに、できればふたりには話すようにしましょう。

人に話すときにおのずと自分流の編集が加わるため、情報が自分のもの

として記憶されやすくなります。

ドイツの心理学者、ヘルマン・エビングハウスは、ある事柄を記憶したのち、時間を置くと、どの程度思い出せるかについて検証し、「忘却曲線」を提唱しました。

【忘却曲線の実験】

①無意味な綴りを完全に暗記（原学習）したのち、一定の時間を置いて、再び学習し直す（再学習）。
②そのとき、記憶がどの程度残っているかデータを取る。
③再学習では、原学習で要した時間の何パーセントが節約できたかを測定する。

この結果を表わしたのが「忘却曲線」になります。一般的に、忘却は原学習の直後に急速に進み、それ以後一定の水準を保つとされています。

よく誤解されるのですが、忘却曲線は「記憶がどれだけ残っているか」ではなく、「ある程度時間を置いてから再び記憶するまでにかかる手間を、どれだけ節約できるか？」を表わすもので、これを節約率、と言います。

1日後の節約率は33パーセントとされています。つまり、記憶したことを再び完全に記憶するまでの手間（時間や回数など）が、1回目の67パーセント、という意味になるのです。

記憶を定着させるには、情報を「誰かに伝える」という形で速やかにアウトプットすることが重要です。

その際、相手に問いかける形を意識してみてください。なぜなら、相手の答えに反応するときに、自然と自分の考えを伝えることになるからです。それにより、自分がその情報をどうとらえたのか、どんなふうに使おうと思ったのかを明確にすることができます。すると、記憶の定着がよりしっかりとしたものになるのです。

② 読書行動をライブ配信する

本を読み始めてから読み終わるまでの一連の行動を、ＳＮＳでライブ配信してみましょう。

「本屋さんで『〇〇〇〇』という本を買ったよ」（表紙の写真つきで紹介）
「さっそく読んでみようと思い、駅前のカフェに入りました」
「1章のタイトルは、『〇〇〇〇〇』です。面白そう！」

本を読んだときのアウトプットの方法

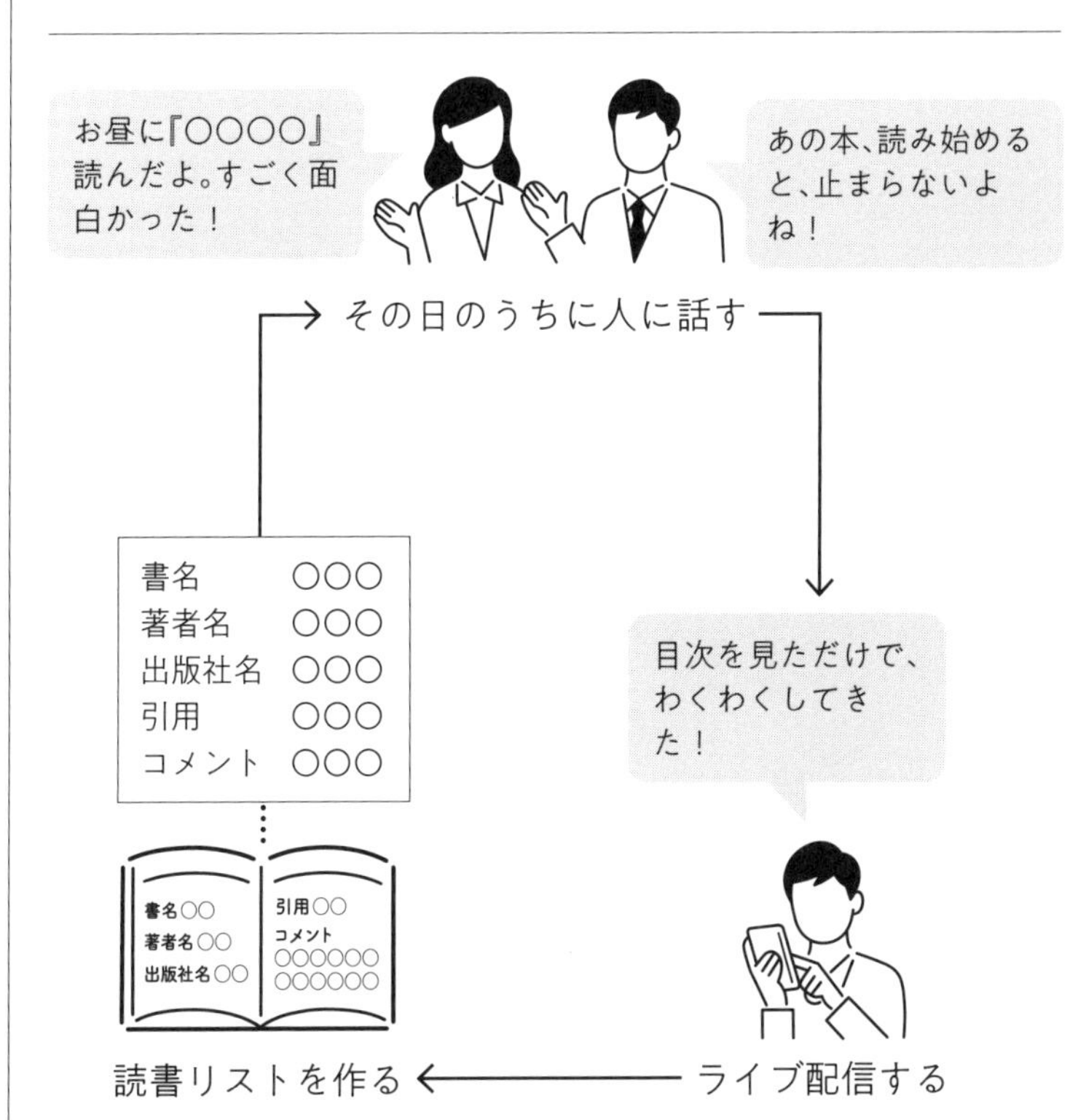
お昼に『○○○○』読んだよ。すごく面白かった！
あの本、読み始めると、止まらないよね！
その日のうちに人に話す
目次を見ただけで、わくわくしてきた！
ライブ配信する
読書リストを作る
書名 ○○○
著者名 ○○○
出版社名 ○○○
引用 ○○○
コメント ○○○
書名○○
著者名○○
出版社名○○
引用○○
コメント
○○○○○○
○○○○○○

Point!

誰かに伝えることで、読んだ本がしっかり記憶に残る

「いきなり名言を発見！『○○○○○○』」
「1章を読み終えました。これこれ、こういう内容でした」

気づきや感動など、自分の心が動いたときは、その都度コメントをアップします。読書行動を配信する一番の目的は、**本の内容を誰かに伝えて、「復習効果によって記憶への定着を図る」**ことです。

③ 読書リストを作る

本を読み終えたら、パソコン、手帳、スマホなどに、「(1)書名　(2)著者名　(3)出版社名（またはレーベル名）　(4)印象に残った文章の引用　(5)簡単なコメント」を書き残し、リスト化します。

このリストは、自分の読書記録であると同時に、ＳＮＳやブログを介してアウトプットするときの「ネタ」にもなります。

先にアウトプットの形を決めると、インプットの質と量が決まる

アウトプットが先、インプットはあと

「何を、どうアウトプットしたいのか」によって、インプットの質、量、方法が変わります。

川の中に魚が何百匹も泳いでいるからといって、「なんとなく、テキトーに釣り糸を垂らすだけ」では魚は釣れません。釣果を上げたければ、コイやフナのウキ釣り、アユの友釣り、ブラックバスやブルーギルのルアー釣りなど、対象魚によって仕掛けや釣り方を変える必要があります。

たとえば、英語を勉強するときも、「海外ミステリー小説を原書で読めるようになりたい人」と、「海外旅行先で現地の人とコミュニケーションを取りたい人」では、勉強の仕方は異なります。

「自分が目指しているアウトプットは、どんな形なのか」を考えることが、インプットの質、量、方法を決めることにつながります。

私は明治大学で、中学・高校の教師になる教職課程の授業を担当しており（教育方法、授業デザイン論、教育基礎論など）、教員志望の学生を対

象に、「知的な芸」を披露してもらうことがあります。学問的、専門的なお題を与えて、ネタを作らせるのです。

「教員になったときに、『面白い先生』と言われるようになりたいよね。明治大学は、ビートたけしさんや立川志の輔さんなど、優れた芸人さんをたくさん輩出しているのだから、次回の授業では、みんなにも、芸人さんになってもらおうと思います。

コントでも漫才でもかまわないので、『カノッサの屈辱』など、教科内容を題材にネタを作り、笑いを取ってください。スベってもかまわないから、勇気を養成するための授業だと思って、安心してチャレンジしてください」

（カノッサの屈辱：神聖ローマ皇帝ハインリヒ4世が、ローマ教皇グレゴリウス7世による破門の解除を願い、教皇から赦しを願ったこと）

私がこのように提案すると、学生の8割は「恥ずかしいことはしたくない」「漫才なんてやったことがない」と、露骨に嫌な顔をします（笑）。

ところが実際に芸を披露してみると、非常に高度なお笑いが展開されて、そのクオリティの高さに学生自身が驚くほどです。一人二役で漫才に挑戦

アウトプットの回路

英語の勉強の場合……

何のために学ぶの？

海外小説を
原書で読みたい
↓
絵本など内容を
知っている本を
読む
↓
興味がある分野の
原書を手に取る

目で学ぶ

英語が話せるよう
になりたい
↓
英語アプリや
ラジオを聴く
↓
英会話教室へ通う

耳で学ぶ

English

English

Point!

アウトプットを決めてからインプットする

した学生もいました（ボケは映像の自分、ツッコミは生身の自分）。

小学校でも中学校でも高校でも、「授業でコントを披露してほしい」という教師からの要請がなかったから、「お笑いのネタを作る」というアウトプットをしたことがなかっただけです。

私が「教科内容を題材にした芸を見せてほしい」というアウトプットの形を決めたことで、学生は、「笑いを取る」ための準備（＝インプット）をしたことになります。そして、もちろんこの芸を披露することで、教科内容をしっかりと自分のものにすることができます。

アウトプットを先に決めると、インプットの仕方が決まるのです。

扱うテーマが知的であれば、アウトプットも知的になる

知的滑り止めを働かせれば、知的レベルを確保できる

ネタがスベったり、「笑い」としてのレベルは低くても、学生が披露する「芸」には知性が感じられます。なぜなら、コントや漫才の題材・素材として扱うテーマ自体（カノッサの屈辱など）に知的レベルが確保されているからです。

題材・素材が知的であれば、アウトプットにふれた人は、「知らなかったことを学ぶ」「新しい気づきを得る」ことができるので、知的欲求が満たされます。

笑うことはできなくても、ネタを見たことで、

「カノッサの屈辱とは何か」
「叙任権論争（高位聖職者の任命権に関するローマ教皇と神聖ローマ皇帝との政治的・宗教的争い）とは、どういうものだったのか」
「約半世紀続いた皇帝と教皇の抗争は、どのような決着を迎えたのか」

を学ぶことができます。

「知的な素材を選ぶこと」は、そのアウトプットにふれる人にとってのセ

ーフティーネット、いわば、「知的滑り止め」なのです。

> **【知的滑り止め】**
> アウトプットするときは、知的な素材、題材、テーマを選ぶ。素材が知的であれば、アウトプットの完成度が低くても、アウトプットにふれた人を満足させることができる。

ショートコント
「重力波」

２０１７年に、「重力波」の観測に成功したアメリカの研究チームがノーベル物理学賞を受賞しました。

> **【重力波】**
> 質量を持つ物体が存在すると、それだけで周囲の時空にゆがみができる。さらにその物体が運動をすると時空のゆがみが高速で広がる。この時空のゆがみの広まりを「重力波」と呼ぶ。

重力波の存在は、アルベルト・アインシュタインが１９１５年から１９

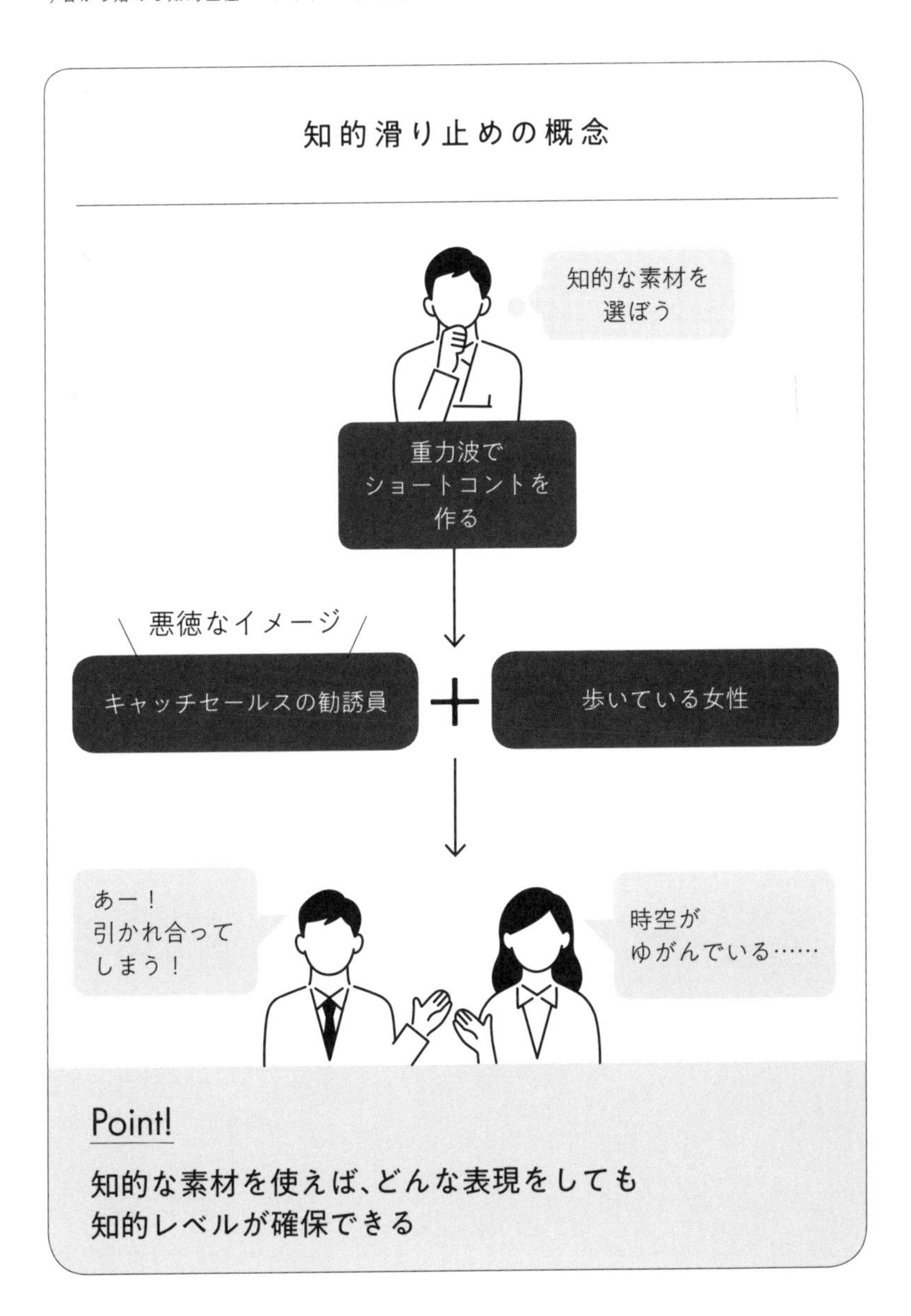
知的滑り止めの概念
知的な素材を選ぼう
重力波でショートコントを作る
悪徳なイメージ
キャッチセールスの勧誘員
歩いている女性
あー！引かれ合ってしまう！
時空がゆがんでいる……
Point!
知的な素材を使えば、どんな表現をしても知的レベルが確保できる

16年にかけて発表した「一般相対性理論」によって予測されています。

そして、アインシュタインの予測からほぼ100年後の2016年に、世界で初めて重力波が観測されました。レーザー干渉計重力波天文台「LIGO（ライゴ）」が、ブラックホールの合体によって発生した重力波をとらえたのです。

私は「重力波」というお題を与え、2、3人一組で即興ショートコントを作ってもらうことがあります。

キャッチセールスの勧誘員と、呼び止められた女性をそれぞれブラックホールにみなしてコントを披露した大学生がいました。

勧誘員　「お姉さん、お姉さん、ちょっと待ってよ」
お姉さん「急いでいるので……あっ！　なんだか時空がゆがんでいる」
勧誘員　「そ、それに……引かれ合ってしまう！　す、すみません。それにしても、強い力だ」
お姉さん「本当に……。重力が強すぎる」
勧誘員　「動くと、時空のゆがみが波として伝わってくる！」

キャッチセールスと聞くと、一般的には悪徳なイメージがあります。ですが、重力波にたとえたことで不実さが際立たなくなり、知的で、わかりやすくて、面白いコントに仕上がったのです。

先日、鹿児島県南鹿児島市の中学生千人に講演する機会があり、「重力波」を私が簡単に説明した上で、コントにしてもらいました。ふたり一組、500組のコントです。

「では、ステージでショートコントをやってくれるコンビはいる？」と問いかけると、一組出てきてくれました。

女子中学生が、全身を波打たせながら歩いて、重力波が近づいてくる様子を表現してくれました。すごい表現力で、驚きました。

知的な素材を扱えば、知的滑り止めが働いて、どんなコントでも知的に変わります。

扱う素材の知的レベルが、表現者の知的レベルをも引き上げてくれるのです。

どのようにして「知的な素材」を集めるか？

知的インプットの「6つ」の増やし方

アウトプットを知的にするには、「知的な素材」をインプットすることが重要です。なぜなら、

「素材自体が知的であれば、それだけでアウトプットの知的レベルは担保される」

「素材が知的でなければ、アウトプットを知的にするのは難しい」

からです。

知的な素材集めの方法は、主に「6つ」です。

【知的インプットの増やし方】

①「名著」を読んで、知的生活の基盤を作る
②「テレビ」を流して、最新の流行感覚を養う
③「映画鑑賞」で知的な刺激を得る
④「朝刊」をパラパラと眺める
⑤ネットニュースで知識を深掘りする
⑥高校の授業を振り返る（高校時代の資料集にあたる）

①「名著」を読んで、知的生活の基盤を作る

読書は、知識の習得法としては王道です。**読書習慣が身につくと、知的生活の安定した基盤を作ることができます。**

読書は、「頭の容量を大きくし、頭の中を耕す」ような作業です。干からびた頭を耕して、豊かな作物が育つ土壌を作ります。本を読まない人の頭の中は、荒地のような状態です。荒地には、教養は実りません。

ほんの10数ページ読むだけでも、自分の知的レベルが著者と同じくらいに高くなる感覚が得られるはずです。

たとえば、仕事を終えて会社を出たら、帰宅する前に「1時間限定」で、カフェに立ち寄る。そしてその1時間を「新書を1冊読む時間」にします。熟読・完読することはできなくても、1時間あれば新書の中身を押さえることはできると思います。それだけでも、頭の中の知的レベルは確実に上がります。

読むときには、最初に必ず目次に目を通す習慣をつけてください。目次はその本の中身を表す道標です。

私は大学時代、しっかりした本を読むときには、必ず目次を拡大コピーしていました。というのも、そのコピーにポイントを書き込むと、理解が

進み、記憶の定着に非常に役に立つからです。それに、自分の手を動かして書くことは、自分の考えを具体的に言語化することにつながります。

②「テレビ」を流して、最新の流行感覚を養う

テレビは、「今、どんな物事が、どれだけ流行しているのか」、その空気感を伝えるメディアです。

観たい番組がなくても、**「テレビを流しているだけ」で、時代感覚や時代の雰囲気が身につきます。**

私はテレビが好きなので、教養番組からバラエティーまで、「週に50番組」は観ています。特にスポーツ番組が好きで、「毎日1本」を心がけています。

スポーツ観戦は、私にとって心の滋養です。

「選手が一所懸命プレイをする姿」を見ると、「自分もしっかりやらなければ」と、向上心をわき立たせることができます。

甲子園で高校野球の全国大会が行われるときは、毎日、全試合チェックしています。

「負けたら終わり」という厳しい仕組みの中で死力を尽くす選手を見ていると、「自分も頑張らないと。弱音を吐いている場合じゃないな」と前向

きな気持ちになります。

③「映画鑑賞」で知的な刺激を得る

たとえば、『推定無罪』（スコット・トゥローの同名小説を元にした映画）を観ると、「自分の利益を守るためには、どう動いたらいいのか」という現代社会の戦い方がわかったり、「アメリカは法廷で勝てばいい国であり、勝つことが正義である」といったアメリカの現実を知ることができます。

『アメリカン・ヒストリーX』を観れば、アメリカに根づいた白人至上主義の実態がわかります。

『ペルシャ猫を誰も知らない』を観れば、西洋的な文化が厳しく規制されているイランの現実がわかります。

小津安二郎監督の『東京物語』を観れば、家族という共同体のよさと、はかなさがわかります。

ロビン・ウィリアムズ主演の『いまを生きる』を観れば、教育とは何か、自由とは何か、人生とは何か……、その答えは「自分の中にある」ことがわかります。

映画は、知的教養という分野の一部です。登場人物の人生を通して、さまざまな知識、教養、考え方を身につけることができます。

もちろん、読書や映画だけではなく、演劇や展覧会に足を運んだり、スポーツ観戦をすることでも、経験と思考を積み重ねることができます。

好きなもの、決まったものだけではなく、できるだけいろいろな本や作品にふれて、多様な考え方、意見にふれることを意識してください。

④「朝刊」をパラパラと眺める

新聞のよさは「ふたつ」あります。「なんとなくの理解でいい」ことと、「似た話題が何日も続く」ことです。

新聞を眺めて、「この企業では、こういうことを始めるのか」「あの国では、こういうことが問題になっているのか」と**「なんとなくインプット」しておくだけで、世の中の動向を知ることができます。**

また、新聞は何日も同じ話題、似た話題を取り上げるので、**「なんとなくインプット」し続けるだけでも知識が積み重なって、事件や出来事の輪郭がはっきりしてきます。**

知的インプットはこうして増やす

名著を読む
帰宅前にカフェで1時間、新書を読む

テレビを流す
流しているだけで「今」がわかる

映画を観る
その国の現実や文化、社会がわかる

朝刊を眺める
なんとなくのインプットで、世の中がわかる

ネットニュースを見て回る
理解が深まる。世の中の空気感がわかる

高校時代の資料集
知識の補完に役立つ

Point!

毎日、知的素材にふれると、知的レベルは確実に上がる

⑤ネットニュースで知識を深掘りする

ネットニュースは、ひとつの記事に関連記事が紐づいているため、ニュースを見て回れば、知識を深めることができます。

また、ニュースのコメント欄に目を通して、

「賛成派と反対派がどれくらいの割合でいるのか」

「それぞれの意見の根拠は何か」

「賛成と反対の分かれ目はどこにあるのか」

を考えてみると、**世の中の空気感を知るヒント**になります。

自分は「賛成」だと思っていた出来事に対して、世の中の人の多くが「反対」を示していた場合は、「自分の感覚を修正する」こともできます。

⑥高校の授業を振り返る（高校時代の資料集にあたる）

高校時代に習ったことを思い返してみると、いまさらながら、「知的レベルの高さ」に気がつくはずです。

特に、**資料集や便覧など高等学校用の副教材は、知的な知識の宝庫**です。

「資料集って、高校生のときはたいして読まなかったけれども、こんなに充実していて、勉強になって、知的で、価格も安くて、コストパフォーマンスがいいものだな」と感じることでしょう。

「驚く」→「学ぶ」→「伝える」という連動を作る

古代ギリシアの哲学者、プラトンが「驚きは、知を愛すること（哲学）のはじまりである」という言葉を残しているように、「湧き上がってくる驚きの感情」は、「もっと知りたい」という学習への意欲につながります。

そして、その驚きが大きいほど、「人にも伝えたい」「多くの人に知ってほしい」と思うようになります。

ですから、「これはすごい！」「これって、どういうことだろう？」「どうしてこんなことが起きるの？」と心が動いた素材を集め、学び、アウトプットする。

「驚く」→「学ぶ」→「伝える」という連動を作るのが、アウトプットの要諦（ようてい）です。

たとえば、『CNN.co.jp』に掲載された「グアテマラ北部のジャングルの下に隠れていた6万以上の古代マヤ文明の建造物が新しいレーザー技術によって発見された」という記事を読んだとき、「すごい！　従来の理解を根本から変える可能性がある！」と驚き、心を動かされたら、古代マヤ文明に関する情報を集め、勉強する。

関連書籍を見ていくうちに、芝崎みゆきさんの『古代マヤ・アステカ不可思議大全』（草思社）に出会うことができれば、知的衝撃を受け、幸福感に満たされます。

「勉強したい。そして、人にも伝えたい」という思いこそが、アウトプットの根源的な力です。

「知的プレッシャー」を受け入れる

アウトプットを習慣化するには「強制力」が必要

アイデアは、アウトプットをしなければならない場、あるいは、アウトプットできる場があることによって生まれてくるものです。

私たちが仕事に関する知識やスキルを学ぶのは、「知識とスキルがなければ、仕事はできない」「仕事をするには、知識とスキルが必要である」といった強制力が働くからです。

私は、こうした強制力のことを「知的プレッシャー」あるいは「知的圧力」と呼んでいます。

> **【知的プレッシャー（知的圧力）】**
> アウトプットを強制・強要される状況に置かれること。

私は大学時代、知的プレッシャーにさらされ続けていました。大学1年生のとき、友人数人がこんな会話をしていたことがあります。

「ホロヴィッツは、きらびやかでいいね」

「それに比べると、バックハウスには質実剛健な印象があるから、ベートーヴェンには合っているよ」

ホロヴィッツも、バックハウスもピアニストです。

ウラディミール・ホロヴィッツは「20世紀を代表するピアノの巨匠」「音の世界遺産」「生きながらに伝説となった巨匠」と称された孤高のピアニスト。

ヴィルヘルム・バックハウスは、「鍵盤の獅子王」のキャッチフレーズで親しまれたピアニストです。

当時の私はクラシック音楽をそれほど聴いたことがなかったので、学友の知的レベルについていくことができませんでした。ホロヴィッツもバックハウスも知らない私には、「ピアニストによって音の印象が変わる」ことが理解できなかったのです。

「そうか、クラシックがわからないと、会話に加わることもできないのか」と知的プレッシャーを感じた私は、その後、評論家の吉田秀和さんの本をガイドに、クラシックのCDを100枚ほど購入して聴き続けました。そしてようやく、演奏者による音の違いを聴き分けられるようになったのです。

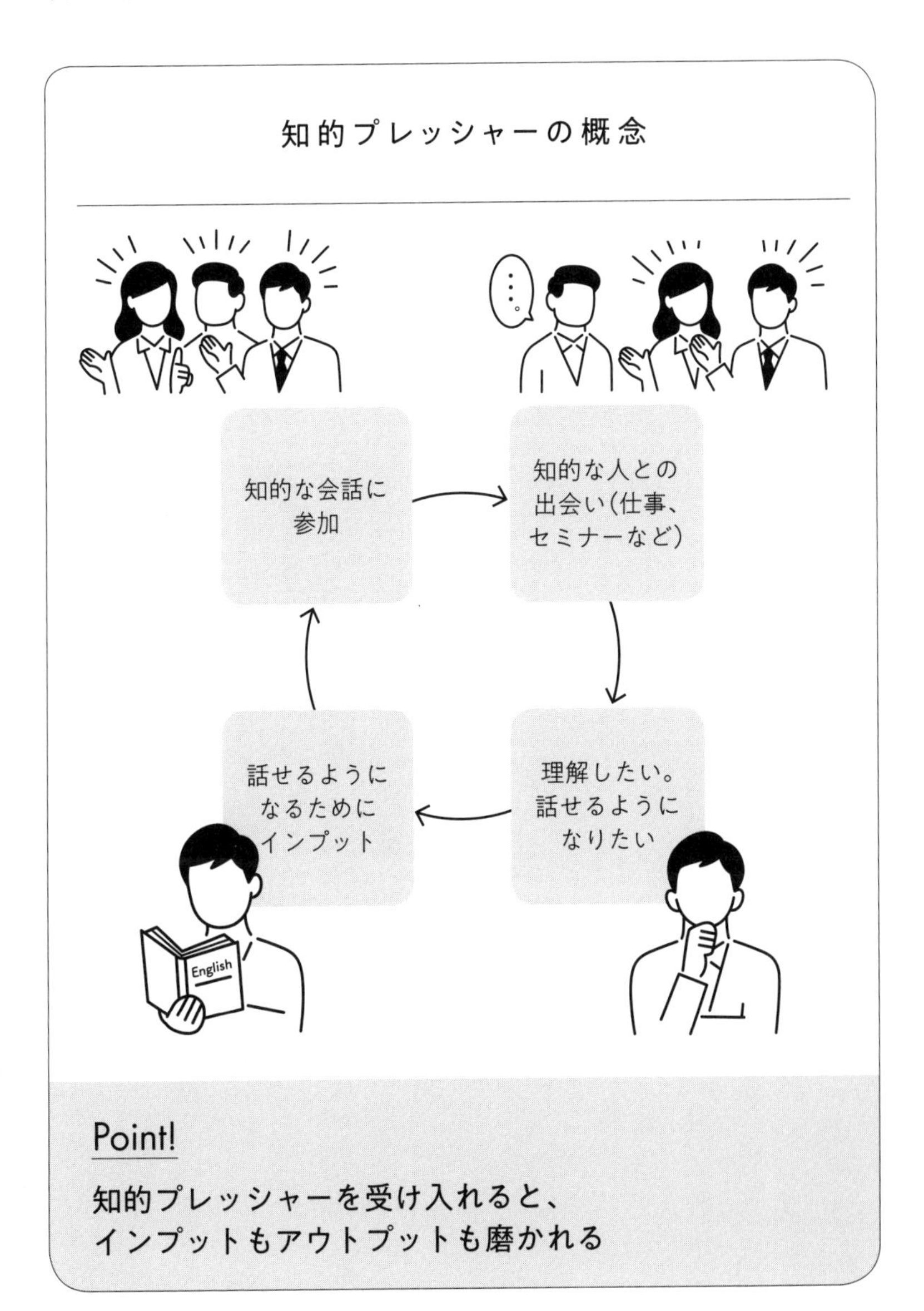
知的プレッシャーの概念
知的な会話に参加
知的な人との出会い(仕事、セミナーなど)
理解したい。話せるようになりたい
話せるようになるためにインプット
English
Point!
知的プレッシャーを受け入れると、
インプットもアウトプットも磨かれる

知的プレッシャーを歓迎する

クラシックだけではなく、哲学でも、美術でも、私は学友からの知的プレッシャーを感じていたので、さまざまなジャンルで勉強を強いられ、結果的に、知的教養が身についた気がします。

自発的に勉強ができない場合は、「知的プレッシャーがかかる環境」「知的刺激を与えてもらえる環境」に身を置いてみる。

すると強制力が働いて、「アウトプットするためにインプットする」というサイクルが回りやすくなります。

「アウトプット力を磨く」ためにも、そして「インプットの量を増やす」ためにも、知的プレッシャーを歓迎する寛容さが大切です。

第2章

アウトプットの基本形

――知的な素材をどのようにアレンジするか

「引用＋コメント」が、アウトプットの基本形

「知的生産」とは、知的な素材をアレンジする作業

アウトプットを知的にするには「知的な素材を扱う」のが最善策です。
「知的生産」とは、ゼロからアイデアを生み出すというより、

・素材自体が知的であるものをアレンジして、アウトプットする作業
・すでにある素材に、クリエイティブな要素を加える作業

のことです。

何よりも大事なのは「素材が知的」であること。

たとえば、ニッコロ・マキャベリ（ルネサンス期に活躍したイタリアの政治思想家、外交官）の『君主論』を取り上げてブログを書けば、ブログの知的水準を上げることができます。

マキャベリは、「政治は宗教・道徳から切り離して考えるべきである」と現実主義的な政治理論を唱えた人物です。『君主論』は「西洋の『孫子の兵法』」とも呼ばれ、リーダーのための教科書として知られています。

「今日、マキャベリの『君主論』を読んだ。

『君主論』の中でマキャベリは、『決断力のない君主は、当面の危機を回避しようとするあまり、多くの場合中立の道を選んで、破滅してしまう』と述べている。

つまり、リーダーシップを発揮する上で大事なのは、自分の頭で判断することだ。どっちつかずの態度では、問題を解決することはできない。今までの私は、選択を人に委ねることが多かった。これからは、どんなに迷いや不安があっても、自分で選び取るようにしたい」

このように、**史上最高の知性を持つひとりであるマキャベリの名言を引用し、自分の解釈を加えると、ブログの知的レベルは格段にアップします。**

「100ドル紙幣の肖像画にもなった偉大な政治家、ベンジャミン・フランクリンが言っている」

「アメリカを代表する心理学者、ウィリアム・ジェームズが言っている」

など、**知の巨人たちを引き合いに出して、自分の考えを補強する。**

そうすることで、アウトプットに揺るぎない説得力と知性を加えることが可能になるのです。デール・カーネギーの『人を動かす』『道は開ける』（創元社）は、このスタイルです。

また、「どの部分を引用するか」と考えながら読むことで、情報を読む集中力は飛躍的に高まります。

「引用+コメント」は、人の心を動かします。単に感想や論考を述べられても人はあまりよい反応はしませんが、「引用+コメント」という外部のテキストが入る場合は、知識を習得する楽しみが生まれます。人の心を動かすことができる、鉄板のアウトプットと言えるでしょう。

知的フレーズをメモした時点で、アウトプットの8割は完成している

本、テレビ、インターネットなどから知的な情報を受け取ったら、手帳やスマホのメモアプリに記録しておきます。

たとえば、『孫子』を読んで、「準備の大切さ」を学んだとしたら、該当箇所をメモに残しておきます。

【該当箇所】
「孫子いわく、昔の善く戦う者は、先ず勝つべからざるをなして、もって敵の勝つべきを待つ。勝つべからざるはおのれに在るも、勝つべきは敵に在り」

アウトプットの基本形

アウトプットの
8割が完成！

本やテレビ、ネット
などからの知的な情報

↓

手帳やスマホに記録

↓

心に響いた箇所を
引用

↓

独自性と
新しさ！

自分のエピソードを
加える

↓

人に伝える

Point!

「引用＋コメント」は、最強のアウトプット孫子は素材自体が知的ですから、この言葉を引用して、自分のコメントをつけるだけで、知的アウトプットになります。

【引用＋コメント】

「孫武が書いたとされる兵法書『孫子』には、次のように書かれています。

『孫子いわく、昔の善く戦う者は、先ず勝つべからざるをなして、もって敵の勝つべきを待つ。勝つべからざるはおのれに在るも、勝つべきは敵に在り』

孫子は、『戦いが上手な人は、相手を攻める前に、負けないための準備をしっかり整え、勝つチャンスをじっくり待っている』と述べています。

相手の状態を変えることは難しいかもしれません。しかし、負けないための準備なら自分だけでもできます。

相手に勝つために大切なのは、守りを固めること。仕事がうまくいっているときこそ、自分の足元を見つめ直して、『守り』を確認していこうと思います。」

心に響いたフレーズを見つけたら、メモに残しておく。そしてアウトプットする機会が訪れたら、メモに残したフレーズを引用して、自分のコメントを付け加える。

つまり、知的な素材をメモした時点で、知的アウトプットの８割は完成しているというわけです。

自分のエピソードを加えると、アウトプットに独自性が加わる

「引用＋コメント」が、アウトプットの基本形です。

【コメント】
読書、映画、演劇、音楽を鑑賞したあとや、事件などがあったあと、それに対して自身の考えを述べること。自分の見識やオリジナリティの深さを伝えるもの。

私は大学生のコメント力を磨くために、
「私が指定するテキストを読んで、そのテキストから文を６個抜き出す。そして、その６個に対し、ひとつずつ自分のエピソードを加える」

という課題を出すことがあります。

すると、引用箇所に個性が表われる上に、学生自身のエピソードが加わるため、独自性の際立つアウトプットが完成します。

私が「エピソードを加える」というアウトプットの形を決めることで、大学生は、「自分のエピソードが語れる引用箇所はどこか」を意識するため、アクティブな読み方になります。


孔子と彼の高弟の言葉を記した『論語』、福沢諭吉の『学問のすゝめ』、ニーチェの『ツァラトゥストラはかく語りき』などの**名著を題材に、「引用＋コメント」の形でアウトプットすることは、「知的生産活動」である**と考え、授業で課題にしています。孔子やニーチェの知性が、アウトプットの「知的さ」を保障してくれるのです。

「生産」とは、新しいものを生み出すことです。ニーチェや福沢諭吉を紹介しただけでは新しさに欠けます。ウィキペディアを切り貼りしたところで、生産的とは言い難い。

しかし、自分のエピソードとつなげることで、独自性と新しさが加わって、クリエイティブなものになります。なぜなら、自分のエピソードは、世界で唯一、自分にしか語れないものだからです。

すでにある素材をアレンジして、誰も見たことがない表現を作る

知的アウトプットには、アレンジ力が求められる

アウトプットをクリエイティブにするには、アレンジ力が求められます。

たとえば、「重力波」についてアウトプットするとき、

「質量を持つ物体が存在すると、時空にゆがみができます。さらに、その物体が運動をすると時空のゆがみが高速で広がります。この時空のゆがみの広まりを、重力波と呼びます」

と「重力波」の要約をしただけでは、面白さの点でも、わかりやすさの点でも、印象に残りにくい。

動作をつける、擬人化して表現する、イラスト化する、自分のエピソードを加える、ショートコントを作るといったアレンジを効かせることで、自分だけのアウトプットが完成します。

私は大学生に、「世の中には、とても大切だけれど、無味乾燥な知識がたくさんあります。その知識を面白くアウトプットできないかを考えてみ

よう」と言って、「三単現のｓ」を題材に、即興コントを作らせたことがありました。

【三単現のｓ】
英語において、主語が「３人称・単数・現在形」のとき、動詞に「ｓ」をつけるルール。

Ａグループは、女性ひとり、男性４人の５人一組で、「三単現のｓ子ちゃんに４人の男性が告白をする」というコントを披露しました。

最初に、男性「I」がｓ子ちゃんに「I love」と告白しますが、「I」はあえなくフラれ、バタッと床に倒れます。

次に、男性「You」が「You love」と告白します。ｓ子ちゃんは首を横に振り、フラれた「You」は床に倒れます。

３番目に登場した男性「They」も、「They love」と告白したものの、ｓ子ちゃんのつれない態度を前にして、床に倒れます。

最後に登場したのが、男性「He」です。彼が、「He love」と告白すると、s子ちゃんは「He」と手を取り合って、「He loves」になります。すると、倒れていた3人が起き上がってふたりを祝福し、最後に全員でホイットニー・ヒューストンの『I Will Always Love You』を歌って終わるというコントです。

このコントを見れば、主語が「I」「You」「They」のときは、「s」はつかない。「s」がつくのは「He」のときであることがわかります。

一方、Bグループが選んだシチュエーションは、宅配便です。

配達員が、「play」さんのお宅に「s」を届けに行きます。

配達員「playさんですか？『s』をお届けに上がりました」

play「ありがとう。受け取ります」

次に「go」さんのお宅に「s」を届けに行きます。ところが「go」さんは受け取ってくれません。

配達員「goさん、『s』をお届けに上がりました」

go「うちは、『s』は受け取れません。『es』じゃないとダメなんです」

「esでないと受け取ってもらえない」ことに気づいた配達員は、続いて、「study」さんのお宅に「s」を届けに行きました。

配達員「studyさんのお宅ですか？『s』をお届けに上がりました」

study「うちは、『s』は受け取れないんです」

配達員「『s』はダメなのですね。そう思って、『es』も用意しています」

study「いやいや、『es』もダメ。うちはね、『i』も一緒でないと受け取れないよ」

配達員「えー！！！」

与えられた題材（三単現のs）とアウトプットの形（ショートコント）は同じでも、グループごとに表現の方法は変わります。

「すでにある素材をアレンジして、まだ誰も見たことがない表現を作り上げた」

「無味乾燥なテーマを笑いにアレンジした」

という意味において、彼らのコントはクリエイティブであり、知的生産性が高い。

トランプにおけるジョーカー（道化師）が、「最高の切り札」であるように、**ジョーク（笑い）を扱える人（ジョーカー）は、最高位のアウトプッター**です。

なぜ、「笑い」が最高位なのかというと、**笑いにはインパクトがあり、アウトプットにふれた人の印象に強く残る**からです。

ちなみに、私は『フレミングの左手の法則』を替え歌にする」という課題を出したこともあります。

「フレミングの左手の法則」とは、電流の向き、磁界の向き、電磁力の向きの関係を見つけるための法則です。

するとあるグループが、「フレミングの左手の法則」をラップにアレンジしました。ラッパーの手の形、手の動きが、「フレミングの左手の法則」の形に似ていたからです。

一度聴けば耳に残るリリック（歌詞）、フロウ（歌いまわし）、ライム（韻）に、手の動きなどの視覚的な面白さが加わって、アレンジの効いたアウトプットに仕上がりました。学問の内容を楽しくアレンジして表現する。これこそ、最高のクリエイティブです。

自分らしい
「アレンジの仕方」を見つける

私が以前教えた学生の中に、とても上手に短歌（五・七・五・七・七）を作る学生がいました。

「教師になって、地理を教えたい」と言うので、「それなら、地理の知識を短歌にしてみたら？」と勧めると、即座に地理の重要ポイントを短歌にしてくれて、驚きました。

五・七・五・七・七のリズムに乗って、学べる工夫をしたわけです。得意なもの同士を結びつけたことで、彼女独自の表現方法が生まれました。

映画『英雄の証明』は、ウィリアム・シェイクスピアの最後の悲劇『コリオレイナス』を現代に置き換えてアウトプットしています（古典を現代風にアレンジ）。黒澤明監督の『蜘蛛巣城』は、シェイクスピアの『マクベス』をアレンジしたものです。

ピアノ曲『展覧会の絵』は、モデスト・ムソルグスキーが、友人であったヴィクトル・ハルトマンの遺作展を回りながら、そこで見た10枚の絵の印象を音楽に仕立てたものです（絵画の世界を音楽で表現）。

アウトプットの方法

知識を俳句に
置き換える

歴史を現代に
置き換える

難しい用語を
音楽で表現

知的なテーマを
笑いに変える

難しい理論を
イラストで表す

Point!

**アウトプットのスタイルを作ると、
どんなことでも表現できる**

このように、

「自分が持っている専門的な知識を短歌にする」

「歴史を現代に置き換える」

「難しい用語を音楽で表現する」

「知的なテーマを笑いに変換する」

「難解な理論をイラストで図解化する」

など、得意なアウトプットのスタイルを見つけておくと、どのような素材でもアレンジできるようになります。


自分が得意なアウトプットのスタイルがわからない、という人は、偏愛マップを作ってみてください。

偏愛マップとは、1枚の紙に自分が偏愛するものをキーワード方式に書いたものです。形式は自由なので、とにかく書き出してみる。すると、自分のことがよく見えてきて、何が強みになるのかがわかります。

絵が描けなくても、音楽が不得手でも、自分だけのアウトプットのスタイルを作っていくことは十分可能です。

視覚に訴えて、受け手に強いインパクトを与える

文化と文化を組み合わせると、インパクトが生まれる

私の記憶に、今も強く残っているコマーシャルが、ふたつあります。

ひとつは、1982年、サントリーのコマーシャルで、女優のナスターシャ・キンスキーの映像。与謝野晶子の短歌「やは肌の　あつき血潮に触れも見で　さびしからずや　道を説く君」がメロディーつきで歌われていました（歌は五輪真弓さん）。

もうひとつは、2017年9月から放映が始まった「クリスチャン・ディオール」の香水ライン「ミス ディオール」のコマーシャルです。

コマーシャルのテーマである「AND YOU, WHAT WOULD YOU DO FOR LOVE?」（あなたは、愛のために何をする？）を踏まえて、女優のナタリー・ポートマンが橋の上から海へダイブしたり、ピンクのジャガーで砂浜に「love」と綴るシーンが印象的でした。

曲は、オーストラリア出身の女性シンガーソングライター、シーア（Sia）のヒット曲『Chandelier』です。

ナタリー・ポートマン、シーア、クリスチャン・ディオール、ジャガーという「文化」を組み合わせたことで、壮大で感動的で、ドラマティックな映像に仕上がりました。

仮に、このコマーシャルが、「ミス ディオール」の商品をブツ撮り（商品撮影）して、「みずみずしいフローラル ブーケの香り。甘すぎず、でも女性らしいかわいらしさも兼ね備えた、優しい香りです」というような紹介をしただけのものなら、私の印象には残らなかったと思います。それは、説明的すぎるからです。

インパクトを与えるには、言葉以上に、視覚に訴えることも大切です。

以前、大学生に、「1分間の予告動画を作る」という課題を出したことがあります。クリエイティブの学生さんが夏目漱石の『こゝろ』の見事な予告の動画を作ってくれたのが、きっかけでした。

中島敦の『山月記』でも、理科の光合成でも、ペリーの来航でも、扱うテーマや素材は自由。ただし、アウトプットの形は、「1分間の動画にする」ことです。

どの学生の予告動画もアレンジが効いていて、見ているだけで気持ちが高揚するものでした。

音楽と映像が組み合わさったことで、知的な情報に血や肉が加わって、「血湧き肉躍る表現」が完成したのです。

イラストは、アウトプット最大の武器

以前、私が指導をしていたA子さんから、「教育実習を控えているのだけれど、自分はスラスラと言葉が出るタイプではないので、子どもたちの前で上手にしゃべれるか不安がある」と相談を受けたことがありました。

そこで私は、こうアドバイスをしました。

「たしかイラストを描くのが得意だったよね。だったら、授業の内容をイラストにして、プリントして配るのは、どう？」

手描きイラストを使った授業は、生徒からの評判がとてもよく、教育実習は大成功。自信をつけたA子さんは現在、教員として活躍しています。

手描きイラストには、あたたかみがあります。描き手の人柄も出ます。そして、授業の内容をイラストにしているのですから、知的です。

イラストは、内容の知的さ、その人しか描けない独自性という点で、非常にクリエイティブなアウトプットだといえます。

アウトプットのお手本を見つけてアレンジの参考にする

アウトプットのお手本となる「奇跡の書」

情報をアウトプットする際、文字情報だけで終わらせるのではなく、**写真を使う、図解する、イラストにする、マンガにするなど、視覚に訴える手法を効果的に使うと、インパクトが強くなります。**

その好例が、芝崎みゆきさんの著書、『古代エジプトうんちく図鑑』（バジリコ）、『古代ギリシアがんちく図鑑』（バジリコ）、前出の『古代マヤ・アステカ不可思議大全』（草思社）の3冊です。

私がこの3冊をアウトプットのお手本だと考える理由は、次の「5つ」です。

①文字だけではなく、マンガやイラストを多用している
専門的で知的な内容がひと目で理解できる。笑いながら知識が学べる。

②文字も、イラストも手描きである
細やかで、あたたかみがあって、読みやすい。

③情報量が多い

著者が古代エジプト、古代ギリシア、古代マヤ・アステカに強く心を動かされ、深く学び、専門的な知識を持っていることが伝わる。

④著者のコメントがついている

考古学的な知識を解説するだけではなく、自分のコメントを添えている。

⑤価格が安い

300ページを超える充実した内容でありながら（しかも手描きなので手間もかかっている）、『古代エジプトうんちく図鑑』1600円、『古代ギリシアがんちく図鑑』1700円、『古代マヤ・アステカ不可思議大全』1500円で買えるため、非常にコストパフォーマンスが高い（いずれも税別）。

芝崎みゆきさんの著書は、膨大な知識を手描きイラストつきで楽しく伝えており、アウトプットのお手本となる「奇跡の書」です。

アウトプットのお手本を見つけておくと、スムーズにアウトプットできる

コマーシャル、映画の予告編、コント、図解本、漫画など、**アウトプットのお手本を見つけておくと、「アレンジの仕方」のヒントになります。**

知的アウトプットの参考になる良書を、いくつか紹介します。

・『怖い絵』（中野京子、朝日出版社）

中野京子さんの著書、『怖い絵』シリーズも、知的アウトプットのお手本です。

『怖い絵』は、名画の裏に潜む時代背景と、隠された物語を解説した人気シリーズです。

美しい絵画の裏には、殺人、陰謀、悲劇といった恐怖のドラマが潜んでいることがあります。一見怖そうに見えない作品の恐ろしい一面を、軽快な語り口で書き記しています。

テーマ（このシリーズでは「怖い絵」。「怖い」を切り口にした中野さんの知的さがうかがえます）に沿って素材をセレクトする。そして、その素材の背景について、自分の視点を加えながら解説する。これが、アウトプ

ットの王道です。

・『哲学用語図鑑』（田中正人、斎藤哲也 編集・監修、プレジデント社）

ピタゴラスからサンデルまで、哲学者70人をピックアップ。200以上の主要な哲学用語を取り上げ、意味、語源、具体例、対立する概念、論じられている文献などをイラストを使って紹介。哲学用語を直感的に理解できる造りになっています。

この1冊に目を通すだけで、哲学の全体像をつかむことができます。「おおよその様子がわかる」「大枠がつかめる」という意味では、とても現代的な本です。

・『新釈 うああ哲学事典（上・下）』（須賀原洋行、講談社）

大学の哲学科に進み、卒業してからも哲学書を読み耽（ふけ）っていた著者が、「自分が感じ取ったものをマンガという娯楽で表現しよう」と思い立ち、「毎回ひとつの哲学思想をモチーフに8ページのショートコミック」を描き続けました。

マルクスの「唯物論と社会主義」、サルトルの「嘔吐」、フーコーの「人間の終焉」、カントの「天才と物自体」、アリストテレスの「形相と質料」、フッサールの「エポケー（判断停止）」など、全25篇がコミカルに描かれています。

「哲学を学びたいけれど、何から読めばいいのかわからない」「哲学書は難しくて手が出ないが、哲学の考え方には興味がある」という人にとって、最良の入門書です。

難解な哲学をマンガでかみ砕いているので、哲学者の思想を手軽に理解できます。現代の状況などに置き換えたり、身近なものに引き寄せてアレンジしており、非常に優れた知的生産です。

「セレクトスタイル」は、誰にでもできるアレンジ手法

目利きであることは、それだけで知的生産である

アウトプットのスタイルの中で、「誰にでもできて、なおかつ、読み手を飽きさせない」スタイルがあります。それは、「セレクトスタイル」です。

セレクトスタイルは、「○○○の好きなメニューベストテン」「アイドル○○○の好きな表情ベストテン」「○○選手のすごいプレーベストテン」など、自分の好きなもの、興味があるもの、「すごい」と思ったものを素材としてセレクトし、ランキング形式で紹介するものです。

このスタイルのポイントは、**「独自の視点で素材を選ぶこと」「情報の目利きになること」**です。

目利きであることは、それだけで知的生産です。

カリスマバイヤーだった藤巻幸大（ふじまきゆきお）さんがプロデュースされたセレクトショップ「藤巻百貨店」は、一流の目利きが選んだ逸品を取り揃えています。

藤巻百貨店がほかの通販サイトと一線を画しているのは、アイテムに藤巻さんのこだわりがうかがえるからです。バイヤーが選りすぐった逸品に

「他店にはない価値観」や「藤巻イズム」が感じられるからこそ、幅広い層に受け入れられたのだと思います。

藤巻百貨店のバイヤーのように、「目利き」になって素材をセレクトする。**個性的な素材、題材を集めることができれば、それだけでアウトプットにアレンジを効かせることが可能です。**

私も『齋藤孝のざっくり! 美術史』（祥伝社黄金文庫）の中で、うまさ、スタイル、ワールド、アイデア、一本勝負という5つの切り口で美術の特質を眺め、それぞれの切り口で「ベストテン画家」を紹介したことがありました。

この切り口とベストテンの選定に、私の（勝手な）独自性があります。たとえば、「一本勝負」は、「私はこれ一本で食っていきます」という画家たちです。「ざっくり」と冠したこの本でもなければ、一本勝負という括(くく)り方で美術を語ることはできなかったと思います。

目利きになるための「4つ」の方法

ではどうすれば、ものを見る目、ものを選ぶ目を養うことができるのでしょうか。

目利きになるために大切なことは、次の「４つ」です。

①テーマやコンセプトをはっきりさせる

藤巻百貨店の場合は、「日々の暮らしを豊かにしてくれる〝日本の逸品〟」がコンセプト。このコンセプトに外れたもの（海外の商品など）は、選定の対象外になります。

②「すごい！」「面白い！」という驚きの感情に従う

藤巻さんは、素晴らしい人や職人さん、ものと出会ったとき、子どものようにはしゃぎながら、「今ね、〇〇県。どこどこの職人さんといるんだけど、この人がホントすごいんだよ!!」と、昼夜を問わずスタッフに電話をかけたそうです（参照：藤巻百貨店ホームページ）。

③「目利きの人」の目のつけどころを学ぶ

どのジャンルにも目利きと呼ばれる人がいますから、目利きを探し、その人が「どのようなものを、どのような視点で選んでいるのか」を分析してみましょう。そうすると、ものの見方の参考になります。

④ニッチな領域に目を向ける

需要があるにもかかわらず規模が小さいジャンル・テーマを深掘りすると、ほかの人とは違う切り口のアウトプットができます。

第3章

ビジネスで使うアウトプット

——質の高い仕事をするために

3色ボールペンは最強のアウトプットツール

3色で色分けすると、情報に自分だけの意味が加わる

新聞や本を漫然と眺めていても、頭の中には何も残りません。情報を有効活用するためには、集まった情報を頭の中で整理することが大事です。

そのために、私は手元の情報を整理・活用するツールとして、「赤・青・緑の3色ボールペン」（3色のほか、黒やシャープペンシルがついた多機能ペン）を使っています。大事だと思うところやキーワードに、ボールペンで線を引いたり、ぐるぐる囲って印をつけたりしているのです。

また、3色ボールペンを手にすることで、なんとなく読むのではなく、「情報を取りにいく心構え」も整います。

そのため、**本や新聞を読んだり、会議の資料に目を通すときは、必ず3色ボールペンを手にし、どんどん印をつけています。**

それぞれの色は、次のように区分しています。

【3色の区分】

・「赤」客観的に見て、最も重要な箇所。
・「青」客観的に見て、まあ重要な箇所。

・「緑」主観的に見て、自分が面白いと感じたり、興味を持った箇所。

ボールペンで情報を「整理」することが、考えを深めたり、実践に移すことにつながります。

3色ボールペンの7つのメリット

3色ボールペンを使うメリットは、次の「7つ」です。

【3色ボールペンを使う7つのメリット】

①情報を立ち上がらせることができる
②情報に意味を持たせることができる
③情報を取り込んだ段階で、同時に整理ができる
④情報を「固有のもの」にできる
⑤能動的な読書ができる
⑥二度目の読書が楽になる
⑦自分の頭の中を見える化できる

①情報を立ち上がらせることができる

私が黒を使わないのは、本でも新聞でも資料でも、文字情報の多くが黒で書かれているからです。黒い文字の上に黒いボールペンで印をつけても目立たないので、情報が浮き上がってきません。

情報は、黒1色では平面なままですが、3色ボールペンでキーワードに印をつけると、立体的になります。

②情報に意味を持たせることができる

ボールペンを使って情報を3色に分類すれば、情報に意味を持たせることができます（とても大事、まあまあ大事、興味があるなど）。

③情報を取り込んだ段階で、同時に整理ができる

情報ごとに3色で色分けをすると、活用を前提に情報の収集を行うので、頭の中に情報を取り込む段階で、同時に整理を行うことができます。

④情報を「固有のもの」にできる

本を自分にとって固有のものにすることが、読書の主目的です。3色でマーキングをすれば、自分だけが使える情報ソースになります。

3色ボールペンの効果的な使い方

情報が浮き上がる

二度目の読書がラク

情報に意味が出る

頭の中が整理される

情報が自分のものになる

能動的な読書ができる

頭の中が可視化できる

赤 最も重要
青 まあ重要
緑 面白い、気になる

Point!

3色ボールペンは思考をクリアにする最強ツール

本や資料を読みながら、客観情報を赤や青で示し、自分が興味を抱いた部分に緑で印をつけると、緑の箇所がそのまま「自分だけの固有の視点」「自分にとって有益な情報」になります。

3色ボールペンは、情報を「自分用」に変えるための最強ツールです。

⑤能動的な読書ができる

文字の羅列をただ追うのではなく、**「印をつけよう」「線を引こう」「自分の課題を解決する情報がどこにあるかを見つけよう」と意識する**と、自分の頭で考えながら、能動的に本を読むようになります。

⑥二度目の読書が楽になる

参考書や資料を読み直すとき、色分けされていれば、「どこを注目して読むべきか」が明確になるので、復習する時間が短縮されます。**3色ボールペンは、時間効率を上げるツール**でもあるのです。

⑦自分の頭の中を見える化できる

たとえば、企画を考えても一向に通らないとき、その原因は、赤・青・緑のバランスの悪さにあります。

「自分では絶対に自信がある」のに企画が通らないとしたら、その人の頭の中は緑でいっぱいです。客観情報をすくい取ることができていない（赤と青が足りない）から、多くの人の共感を得る企画になっていないのです。

一方、誰でも思いつきそうなアイデアしか出てこないとしたら、その原因は、緑をつけることに長けていないからです。情報にふれたとき「フッ」と頭に浮かんだことを緑で書き加えていくだけでも、自分の感性を羽ばたかせることができます。

キーワードを早く正しく取り出す技術

3色ボールペンを使いこなすコツ

私の場合、印をつけるときは「線」を引いていますが、**気になる言葉が出てきた場合は、「丸」で囲みます。**「ここは特に重要だ！」「これはすごく気になる！」という最重要キーワードはぐるぐる巻きにします。

1文ないし、1段落に印をつけるときは、まとめて線で囲んで、余白に「○」や「◎」をつけておく。

こうして色分けしておくと、あとから読み返したときに、その部分が浮き上がって目に入りやすくなります。

【3色ボールペンを使いこなすコツ】

① 線を引いたり、印をつける行為をためらわない

線を引くことにためらいをなくすには、**「多めに引く」こと**を心がけてください。厳密に色分けしようとすると手が止まってしまうので、「ちょっと違うかもしれないけれど、あとで修正すればいい」といった気持ちで気軽に線を引いてみましょう。

②赤と青は、「ほかの人が読んでも大切だろう」と思う箇所にマークする

慣れないうちは赤と青の判断がつかず、「ここは大切だと思うけれど、赤か青かわからない」と悩んでしまうことがあります。そんなときは、赤と青、２色引いてもかまいません。慣れてくれば、次第に「青だと思ったけれど、赤だった」と、判断の精度が高くなります。

③緑は、自分の自由にできる箇所

気になった内容でも、好きな表現や言葉でもいい。当面の情報活用や本の本質と関係ないことでもいいので、**「自分の感覚に引っかかったところ」「心が動いたところ」に緑で印をつけます。**

私は緑を大事にしていて、本を読むときはまず緑で線を引くようにしています。**緑は、アイデアを生み出す素になるからです。**

アイデアとは、誰も思いつかなかった独創的なものではなく、既存のものに対して、その人固有の着想や思いつきを配合した結果、新たな形となるものです。

着想やひらめきは、緑の中、つまり自分のアンテナに「ン?」と引っかかったものの中にあります。

映画や本の感想、思いつきなども、手帳の余白に緑で書き込みます。

私は緑のインクの消費量がとても多く、「日本でも有数の緑の使い手」ではないかと思うほどです(笑)。

④ ノック式のボールペンを使う

色を切り替えるときの「カチッカチッ」という音によって、脳のスイッチも切り替わります。また、色を変えることは、「赤・青=客観」と「緑=主観」を使い分け、脳を鍛えることにもつながります。

蛍光ペンでもマーキングはできますが、スッとなぞるだけで色がつくので、「ここが大事だぞ」「ここをチェックしたぞ」という「見つけ出した実感」がどうしても薄くなります。

その点ボールペンは、ギュッと強く印をつけるので、**「どのあたりに、どんなキーワードがあったのか」が記憶に残りやすくなります。**文字を書きつけるのにも、便利です。

文章の中に沈み込んでいる情報を浮き上がらせる

次の「5つ」のステップで**キーワードを色分けすると、文章の中に沈み込んでいる情報を速く、正しく、浮き上がらせることができます。**

ステップ①

A4サイズの資料を「1枚20~30秒」で目を通す。丹念に読むというより、資料を見る感覚でかまわない。

ステップ②

キーワードになりそうな語句を、1枚あたり3~5個、ボールペンで囲む。

1回読んだだけでは色分けができないときは、1回目は「赤のキーワード」だけを拾い、2回目は「青のキーワード」、3回目は「緑のキーワード」と3回に分けたほうが混乱しないでチェックできる。

ステップ③
取り出したキーワードをつなげて、資料の要点を再生する（紙に書いたり、人に話したりしてみる）。

私の場合は、「身体」「呼吸」「息」「ふれる」など、自分の研究に関連する「固有キーワード」を決めています。

研究に関連のない本や資料に目を通すときも、**固有キーワードに印をつけるようにすると、あらゆる文献が知的アウトプットの情報源に変わるのです。**

3色でスケジュールを管理すると、時間にメリハリがつく

私は、スケジュール帳も3色で色分けしています。

・「赤」最重要の用事。これを忘れてしまったら、人に迷惑をかける用事。
・「青」まあ、忘れてはいけない用事。
・「緑」趣味、遊びなど、主にプライベートの用事。赤の用事も青の用事もなく、自由に使える時間。

情報キーワードに印をつける3つのステップ

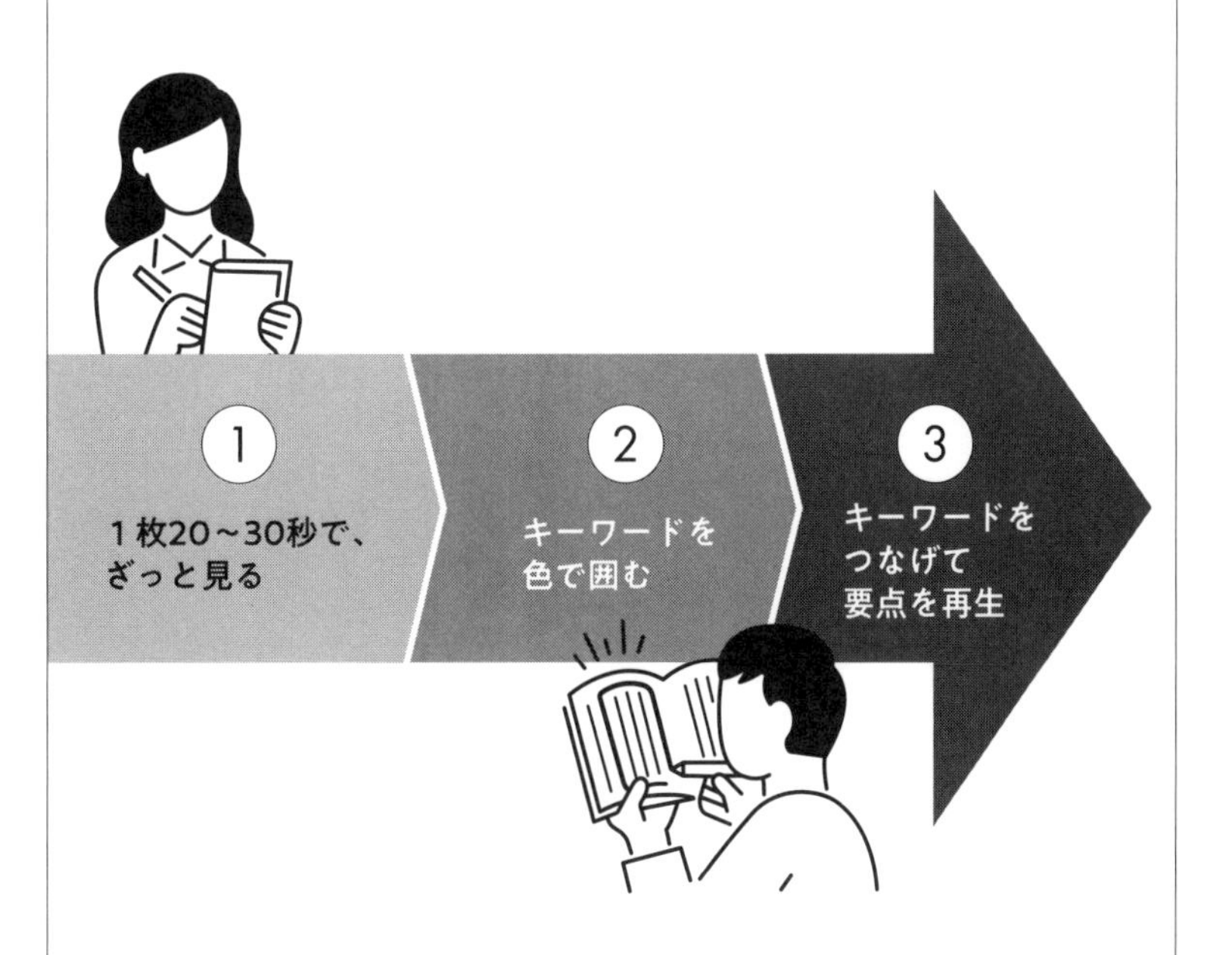
1
1枚20～30秒で、
ざっと見る
2
キーワードを
色で囲む
3
キーワードを
つなげて
要点を再生

Point!

キーワードの色分けは、
知的アウトプットの情報源につながる

私は毎日、忙しいスケジュールをこなしていますが、それでも混乱しないのは、3色でスケジュールを仕分けしているからです。

時間帯がはっきりしているときは、始まる時間と終わりの時間までを枠で囲って、その中に用件を書くようにしていると、間違えることがありません。

手帳を開いたとき、「今週は赤が多い」「今週は緑が多い」など、1週間の予定が手に取るようにわかるため、その週に対する心の準備ができます。「月曜日と火曜日は赤が多いので、水曜日は少しペースをゆるめて、緑の時間を多くしておこう」「この緑の時間を使って、資料を作っておこう」といったように、スケジュールを色分けすると、スケジュールにメリハリがつきます。

メモを習慣にして、アウトプットの精度を高める

メモをもとに、話したり、文章を書いたり、企画を立てる

メモは、わかっていることと、わからないことを明確にしてくれる便利なツールです。そして、思考を鍛えるための訓練にもなります。クリエイティブな発想のもとになったり、その発想を発展させたりするだけではなく、話すときにも非常に役に立つのです。

知的アウトプットは、「メモ」とともにあります。手を使って、文字や図を描くことで思考が整理されるのです。

メモの効力は、主に次の「5つ」です。

【メモの5つの効力】

①伝達事項を正しく受け取ることができる
②思い出すきっかけになる
③要約力が鍛えられる
④思考がはっきりする
⑤質問力・コメント力が磨かれる

①伝達事項を正しく受け取ることができる

仕事のほとんどは、伝達事項を正しく受け取る、あるいは、正しく受け渡すことによって成り立っています。

「口頭で指示されたけれど、内容を忘れた」「内容を理解したつもりだったが、実際は違っていた」といった**伝達事項の漏れや行き違いをなくすためには、メモに書き残すことが一番**です。

メモ習慣がある人同士は、コミュニケーション・ギャップがなくなります。指示を出すときも漏れや取りこぼしがありませんし、指示を受ける側も見当はずれな解釈をしないからです。

②思い出すきっかけになる

メモを取ると、忘却を防ぐことができます。たとえ大事な事柄を忘れてしまったとしても、メモを読み返せば、それがフックになって思い出すきっかけになります。

また、手書きでメモを取ると、情報が記憶に残りやすくなるメリットもあります。

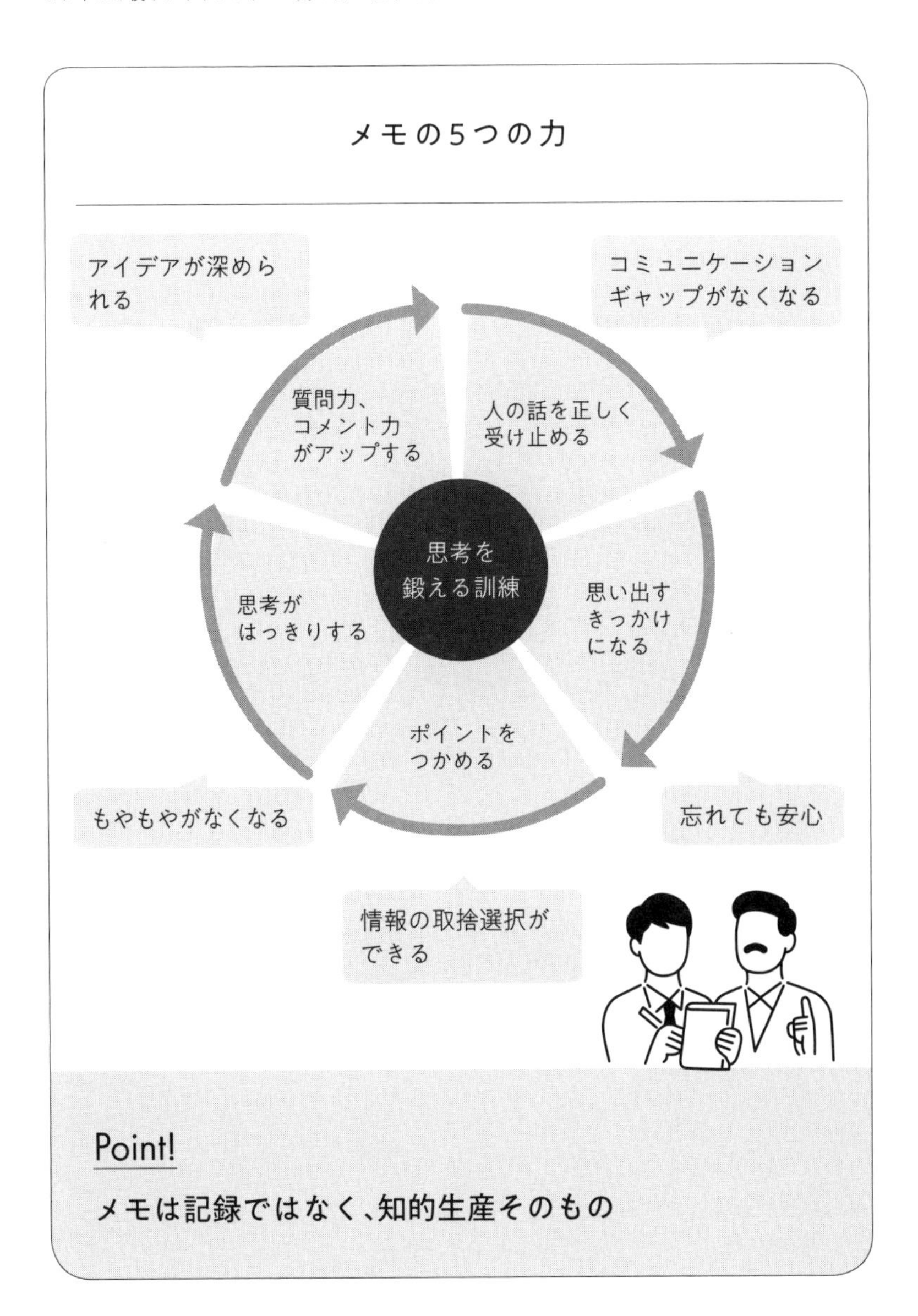
メモの5つの力
アイデアが深められる
コミュニケーションギャップがなくなる
質問力、コメント力がアップする
人の話を正しく受け止める
思考を鍛える訓練
思考がはっきりする
思い出すきっかけになる
ポイントをつかめる
もやもやがなくなる
忘れても安心
情報の取捨選択ができる
Point!
メモは記録ではなく、知的生産そのもの

③要約力が鍛えられる

速記者でもなければ、相手が話すことを一言一句書き残すことはできません。メモを取るときは、必然的に内容を要約してメモを取ることになります。**メモを習慣づけると要約力が鍛えられる**ので、大切なポイントだけをメモできるようになります。

④思考がはっきりする

頭の中で考えているだけではまとまらないことが、思考を言葉に置き換えることによって、はっきりしてきます。

⑤質問力・コメント力が磨かれる

「これを質問したい」「自分の場合は、こうだった」「自分ならこうする」といったように、自分と関わらせるようにメモを取ると、聞くだけのメモから、**自分自身のアイデアを深めるメモになります**（話の要約メモが3分の2、自分の感想が3分の1程度の割合でよいと思います）。

私がコメンテーターとしてテレビに出るときは、コメントをしながらメモを取る「ダブルタスク」を心がけています。対話をしながら、「次に話すこと（聞くこと）」をメモしておけば、話が途切れることはありません。

テレビのコメンテーターが、収録中に「3秒」間を空ければ、異常事態です。私の場合、自分が話す順番が来たら、「0・5秒」以上、間を空けずにコメントするように心がけています。そのために、「次に話すこと」「次に質問すること」をメモに残しています。

自分の感想やコメント、次に尋ねる質問をメモするときは「緑」にしておくと、区別がはっきりします。

テレビの場だけではなく、会議や打ち合わせでもメモを習慣にすると、無駄がなくなり、思考にメリハリがつきます。効率的に時間を使うことにもつながるので、ぜひ取り入れてください。

質問は
インプットであると同時に、
アウトプットである

質問の知的レベルを上げる5つの方法

質問は、自分の理解度（知的さ）の度合いを示すアピールポイントです。

インプットであると同時に、アウトプットの作業でもあります。

・質問することについてのインプットが必要であり、また「答えを知る」という意味で、質問はインプットの流れの中にある。
・「本質的・具体的な質問を投げかける」「自分の考えを相手に問う」という意味で、質問はアウトプットである。

質問力が弱く、何を質問していいかわからない。一方的に脈絡なく話してしまう。文脈を無視した質問をしてしまう。これでは、人と話をしていても、

「思っていることをうまく相手に伝えられない」

「相手が伝えたいことを引き出せない」

ため、コミュニケーションが稚拙になりがちです。

会議でも、主張を述べ合うだけでは議論にはなりません。

「問い」と「答え」を繰り返すことで焦点が絞られ、生産性の高い結論を得ることができます。

一からすべてを聞いたり、少し考えれば誰でもわかることを質問するのは、知的な質問とは言えません。

知的な質問をするためのコツは、次の「5つ」です。

【知的な質問をする5つのコツ】
①疑問点をメモする
②質問に重要度の順位づけをする
③「キーワード返し」をする
④事前に情報収集をする
⑤事前に質問項目を書き出しておく

①疑問点をメモする

人の話を聞くとき、話の内容と同時に疑問点を書き出しておくと、質問力がアップします。

②質問に重要度の順位づけをする

疑問点が多数出てきた場合、限られた時間の中ですべて聞くのは難しいので、優先順位をつけて、重要度の高い疑問から質問します。

順位づけの基準は、3つあります。

・具体的な疑問

「あなたにとって○○○とは何ですか?」といった抽象的な疑問より、「この部分は、○○○という解釈でいいですか?」と、具体的な疑問を投げかけます。

・全員にとってプラスになる疑問

個人的な関心を満たす質問ではなく、その場にいる全員にとってプラスになること、あるいは全員の行動や考えを変える疑問を問うようにします。

・相手が積極的に答えたくなる質問

その質問をされたことで相手が活気づくのが、いい質問です。「よくぞ、聞いてくれました! それは……」や「いままで考えたことがなかったけれど、面白い質問ですね」となる質問は、クリエイティブです。

③「キーワード返し」をする

相手の言ったことを繰り返す「オウム返し」は、傾聴の基本と考えられていますが、知的さには欠けてしまいます。

Aさん「昨日、新宿に行ったんだよね」
Bさん「へー、新宿に行ったんだ」
Aさん「新宿で映画を観たんだよね」
Bさん「へー、映画を観たんだ」

このような気持ちの入っていないオウム返しは、かえって相手を不快にさせることがあります。
質問の知的レベルを上げるには、オウム返しよりも「キーワード返し」が効果的です。

> **【キーワード返し】**
> 相手の話の中から、話の核心にふれるキーワードをとらえて、そのキーワードを質問する手法のこと。

仮に相手が1分間話をしたとすると、その1分間の話の中からキーワードを選んで、「やはり、○○○が基本ということですか？」などと強調点をクリアにして質問するのが、キーワード返しです。

頭を使わなければキーワードを選ぶことができませんから、オウム返しよりも知的です。

④事前に情報収集をする

その場でいくら考えても、それだけでは底の浅い質問になります。事前の知識が不足していると基本的なことから質問しなければならないため、話を深掘りできません。

⑤事前に質問項目を書き出しておく

会議に参加するときは、質問項目を箇条書きにして事前に配っておきます。すると、全員で話し合うべき問題点を共有することができます。

私の経験では、インタビューでも、事前に質問事項をメールで送ってもらえると、効率よく進みます。

「ありきたりの質問」から「知的な質問」へ

アメリカの
中東戦略の
影響なのか、
株価が
下がりましたね

○
中東戦略って、
遠いことの
ようですけれど、
日本経済にも
影響が
あるんですね
×
へー、株が
下がったんですね
気持ちの入っていないオウム返しは相手を不快にさせることがある

Point!

キーワード返しは頭を使うので、オウム返しより効果的

哲学をビジネスと結びつけてアウトプットする

ビジネスの中で、哲学を実践する

古今の学者が生み出した哲学は、知の結晶です。私たちの生き方に直結し、生きる知恵を授けてくれます。

哲学を机上の学問に終わらせないで、哲学の力をビジネスに活用する。

哲学的な思考を取り入れると、仕事の質が変わります。

◎エマニュエル・レヴィナス

現代哲学における「他者論」の代表的人物です。

レヴィナスは、「他なるもの」と「他者」を完全に区別しています。「他なるもの」とは、私がそれを受け入れ、取り込むことによって私と統合されます。

一方「他者」とは、私の意向とは無関係に、一方的に私に向かって「到来する」ものであり、私には統合されません。

フランス現代思想の専門家、内田樹さんは、著書『レヴィナスと愛の現象学』(文春文庫)の中で、レヴィナスの「挨拶」という日常行為に関する分析を受けて次のように述べています。

「『挨拶』を贈るものは、『パロールの贈り物』が『あなた』に届かず、届いても黙殺されるという『リスク』をあらかじめ引き受けている。

私は自分の脆弱な脇腹をまず『あなた』に曝す。『あなた』は私を傷つけることができる、私は『あなた』によって傷つけられうると告げつつ、『挨拶』は贈られる」


レヴィナスは、「挨拶は相手に自分の脇腹をさらす無防備な行為」と考えています。

自分が先に挨拶をしたとき、相手には「挨拶を返さない」という選択肢もあるわけですから、相手のほうが立場が強くなる。したがって、自分から挨拶をしたり、声をかけたりするには勇気が必要です。

レヴィナスの思考にふれ、**「挨拶ができる＝自分をさらす勇気がある」と解釈できた瞬間に、挨拶は別の意味を持ち始める**でしょう。

自分から積極的にジョークを言う人も、「勇者」だと私は考えます。ジョークがスベったり、無視されれば、傷つくわけですから。

◎モーリス・メルロ＝ポンティ
メルロ＝ポンティは、現象学の発展に寄与した哲学者です。

彼は、著作『知覚の現象学』（みすず書房／法政大学出版局）の中で、心身二元論（精神と身体は別のものとするデカルトの説）とは異なる世界観を示しています。

メルロ＝ポンティは、「身体」を中心にして人間をとらえています。私たち人間は、この身体で世界と接し、この身体で世界を見て、この身体で世界を感じているわけですから、

「私たちは、身体として世界に住み込んでいる」

「私たちの身体はものではなく、私たちそのものである」

と主張しています。目で見て、耳で聞き、手でさわり、舌で味わい、鼻で嗅ぐからこそ、私たちは「感じる」ことができるのです。

会話で大切なのは、言葉の意味だけではありません。相手の顔の表情、手の動き、話すテンポなどを総合的に見ながら、「相手が今、どのような感情なのか」「相手が伝えたいことは何なのか」「相手が自分の発言をどう受け取っているのか」を、体ごとで判断します。

つまり、**コミュニケーションの基本は身体性にある**とメルロ＝ポンティは述べています。

会議の場に、まったく反応をしない人がいたとすると、その人は、「身

体としてそこに存在していない」のと同じです。

「人間関係において、大事なのは身体性である」

「コミュニケーションは言葉だけで成り立つわけではない」

というメルロ＝ポンティの哲学を基盤にすれば、コミュニケーションの取り方が変わると思います。

◎マルティン・ハイデガー

マルティン・ハイデガーは、実存哲学を代表する哲学者です。

「到来」「既往」「現存在（ダーザイン）」「世界内存在（世界―内―存在）」「世人（ダスマン）」「投企」「被投性」「死への存在」といった哲学的概念は、ハイデガーが作り出したものです。

私たちは、「時間は過去↓現在↓未来へと流れていく」と考えています。しかしハイデガーは、「時間は単純に流れていくもの」と、とらえず、

・これまでの自分を引き受けること……既往
・あるべき自分の可能性……到来
・既往と到来が出合うところ……現在

と解釈しました。

「自分の可能性をあらかじめ考え、なおかつ、過去の自分もすべて引き受ける。その上で現在を生きよう」というのが、ハイデガーの主張です。

ハイデガーは、死を自覚し、時間の有限性に気づくことが、人間本来の生き方をもたらすと考えていました。

死ぬことを自覚しないで生きるのは、人間の非本来的な生き方です。なぜなら「今」という時間を無為に過ごすことになるからです。

愚痴や人のうわさ話で盛り上がって時を過ごしたり、1日中スマートフォンで動画を見たり、SNSに興じてばかりいるのは、非本来的です（ストレス発散のために適度に楽しむのはいいと思います）。


たとえば、「感情を押し殺し、ロボットのようにひたすら同じペースで仕事すれば、単調な仕事でもラクになるのでは？」と考え、魂を完全に死滅させて働くとしたら、それは本来的な仕事の仕方とはほど遠いと思います。ロボットのように働いて仕事を自分から切り離してしまうと、人生のかなりの時間が、自分のものではなくなってしまいます。

死を意識し、「生きる時間は有限である」ことがわかっていれば、仕事への取り組み方も変わってくるのではないでしょうか。

また、**「時間は有限であり、人は必ず死ぬ」ことを深く理解していれば、**

一期一会の意識を持って、上司、同僚、取引先と接することができるはずです。

◎ミシェル・フーコー

ミシェル・フーコーは、構造主義の旗手と呼ばれた哲学者です。

フーコーは、著作『監獄の誕生――監視と処罰』（新潮社）において、「権力は『規律訓練』の場を通じて作動する」と論じています。

フーコーは、イギリスの社会思想家、ジェレミー・ベンサムが18世紀末に考案した特殊な監獄形式である「一望監視施設」（パノプティコン）を例に使い、権力について考察しています。

監獄の中心に監視塔が置かれ、監視員は塔から囚人たちを一望できます。一方、光の関係で、囚人たちは暗い塔にいる監視員を見ることができません。

この状況が続くと、囚人たちの間に、「常に見られている」という意識が働きます。監視塔に監視員がいなくても、架空の視線に怯えて、自分で自分を監視する（自分で自分を規制する）ようになります。

このように、「視線の内面化」が起きている人のことをフーコーは「従属する主体」と呼びました。

たとえば、会社のオフィスや会議室に、監視カメラを設置しておく。すると社員は、「上司に常に監視されている」と思うようになり、自分で自分を規制し、従順になっていきます。

社員がサボらないようになれば、少なくとも、短期的には会社の売上げや利益は上がるかもしれません。ですが、社員の個性が死んでしまいます。監視によって相手を自発的に服従させる力のことをフーコーは「微視的な権力」と呼び、その恐ろしさを喚起しました。

監視をすると、人は萎縮します。萎縮した人は、自分が持っているパワーを引き出すことができません。クリエイティブの源泉となる「遊びの精神」も芽生えないでしょう。

社員に知的生産を望むのであれば、**上司は部下に対し、ある程度の自由、ある程度の遊びを与えるべき**です。

上司の中に「監視は、人の独創性を奪う」というフーコーの理論がインプットされていれば、部下を必要以上に縛ることはないはずです。

私も大学教員として「鷹揚（おうよう）な教師」であることを意識しています。学生に対しては、**クオリティはそこそこに、最低限のことだけを求める**ように心がけています。

たとえば、学生に発表させるときには、次のように声をかけます。

「来週、みなさんに発表をしてもらいます。内容は問わないし分量も用紙1枚分だけでいいから、忘れずに話す内容をまとめてくること。水泳の時間のときの水着と一緒でそれがないと授業に参加できないし、持ってこないと周りがちょっといたたまれないから（笑）、忘れずにやってきてください」

「クオリティはそれほどは求められていない」ことがわかると気持ちのハードルが下がるため、全員、忘れずにレポートを用意してきます。

とはいえ、全員のクオリティが低いかといえば、そうではありません。中には、非常に知的レベルの高い発表をする学生もいます。

すると、ほかの学生も、クオリティの高い学生にレベルを合わせるようになる。こうして、自主的な学習が生まれます。

カフェは、知的アウトプットに最適なビジネス空間である

ビジネスとカフェの相性がいい理由

考えが行き詰まったり、アイデアが出なかったり、悩み事を抱えたとき、私は

「カフェに入って、A4サイズの白い紙を5枚くらいテーブルに置き、思いついたことをどんどん手書きする」

ようにしています。

私は、「カフェとビジネスは、とても相性がいい」と思っていて、**「思考を整理する空間」として、カフェを活用**しています。カフェには「他人の目」があるので、ほどよく緊張感を持って作業ができます。

私は学生時代からカフェを利用しています。モーニングを食べながら勉強をし、夜中も深夜喫茶で友達と激論を交わす……。

カフェのはしごも、よくします。現在も平均すると「1日2時間程度」はカフェで仕事をしていますから、「カフェ仕事量」という尺度があるとすれば、私のカフェ仕事量は、日本でトップクラスではないでしょうか（笑）。

シェイクスピア全集を個人訳された小田島雄志(おだしまゆうし)先生も、喫茶店で仕事をされていました。

【ビジネスとカフェの相性がいい「3つ」の理由】

① 仕事とプライベート、会社と自宅の中間にあるような存在である

カフェは会社のように堅苦しくない一方で、自宅ほど自由に振る舞うことはできません。ですから、仕事からもプライベートからも、適度に距離を取って物事を考えることができます。そして、適度な緊張感と適度なリラックス感が、作業効率を高めてくれます。

仕事が終わったら、家に帰る前にカフェに立ち寄って、30分～1時間程度、リラックスしながら本を開く。それだけでも、日々の成長を実感できると思います。

② ほどよいノイズのある場所のほうが集中できる

カフェに入ると、私の脳は、「カフェ脳」「カフェモード」のような状態になり、リラックスしながら集中できます。

『ジャーナル・オブ・コンシューマー・リサーチ』誌に発表された研究

（「Is Noise Always Bad? Exploring the Effects of Ambient Noise on Creative Cognition」）によると、適度な雑音（ノイズ）を聞きながら作業をすると集中力がアップして、より高い創造性を発揮できることがわかっています。

イリノイ大学アーバナシャンペーン校の研究チームは、さまざまなレベルのノイズの中で、被験者に創造的思考のテストを受けてもらう実験を行いました。その結果、4つに分けられたグループの中で、70デシベル（カフェでの周囲の話し声に相当するノイズ）のグループは、ほかのグループよりも成績が突出してよかったそうです。

「うるさい」と感じるほどではなく、かといって無音でもないカフェは、知的生産を可能にする最強のビジネススポットです。

③ コストパフォーマンスがいい

コーヒー1杯数百円（私の好みは、二〇〇円くらいのカフェ）で「集中する時間」と「リラックスする時間」を買えるため、**必要経費として考えればそれほど高くはない**と思います。

A4サイズの白い紙(裏紙)に、どんどん書き散らかす

私は、白い紙を常に5枚ほど持ち歩いていて、思いついた内容をどんどん書き散らかしています。白い紙は、裏紙(一度印刷したコピー紙などの裏面)です。真新しい紙だと書き散らかすのはもったいない気もしますが、裏紙であれば抵抗もなく、サクッと書いて捨てられます。

手書きの理由は、**ペンを動かしていると自分の考えが整理され、心も落ち着いてくる**からです。手を自由に動かせる解放感もあります。

『現代語訳　論語』(ちくま新書)を出版するにあたり、翻訳作業はすべてカフェで行いました。パソコンを使うことも考えたのですが、入力した瞬間に孔子の魂が逃げてしまうような気がして、このときも原稿はすべて手書きでした。

たとえば、仕事に対して「あれも嫌だ、これも嫌だ、みんな嫌だ」と意欲を失いかけているのなら、カフェに入って「嫌なこと」をすべて書き出してみる。

すると「においの元」、すなわち、「何が一番嫌なのか」「何が原因で気

が重くなっているのか」が見えてきます。「闘うべき相手がこれで、処理すべき方法はこれである」とわかったとたん、ストレスが減って、気持ちがラクになります。

抱える悩みをひとつひとつ解決していくのは骨の折れる作業ですから、においの元を断つ。においの発生源がなくなると、芋づる式にすべての課題が解決に向かいます。

自分でコントロールできないことは、悩むだけ損

白い紙に課題を書き出すと、「何が自分でコントロールできて、何が自分ではコントロールできないか」を整理することができます。

抱えている課題が、自分の能力を超えている、あるいは守備範囲を超えている場合、私は白い紙に、「OC」あるいは「人天」と書いています。「OC」は「アウト・オブ・コントロール（out of control／コントロールできない）」の略（コントロールできるものは、「アンダー・コントロール（UC）」）。「人天」は「人事を尽くして天命を待つ」の略です。

たとえば、「提出した企画が通るかどうかわからないので、不安になっている」としたら、その不安は、「OC」または「人天」です。すでに企画を提出した以上、自分にできることはありません。あとは、天に委ねるのみです。

多くの人が、自分ではコントロールできないことでさえも、何とかコントロールしようとして悩み、イライラしています。

自分でコントロールできないことに気を揉むのは、意味がないこと。時間の無駄でしかありません。

単純作業に飽きてきたときは、仕事をゲーム化する

遊び心こそが、知的アウトプットの根源である

アウトプットを知的にする、あるいは、アウトプットの生産性を上げるために必要なのは、「遊び心」です。

組織がルールや規則を最優先すると、社員は窮屈さを感じて、クリエイティビティを発揮できません。ルールや規則でガチガチに縛るより、**遊び心を与えたほうが、組織も社員も活性化します。**

20世紀を代表する歴史学者、ヨハン・ホイジンガは、人間を「ホモ・ルーデンス」と定義しています。

「ホモ・ルーデンス」とは、「遊ぶ人」の意味です。

ホイジンガは、「遊びこそが人間活動の本質である。遊びは文化に先行しており、遊びこそ、人類が育んだあらゆる文化の根源である」と主張しました。

ホイジンガの研究を発展的に継承したフランスの社会学者・文芸批評家、ロジェ・カイヨワも、著書『遊びと人間』（講談社学術文庫）の中で、「遊びは人間存在のもっとも深いところに根ざしている」と述べています。

文化が遊びの中から生まれたように、**独創的なアイデアは、遊びの中から生まれます。**

ゲーム感覚で仕事をすると、生産性が上がる

どんな作業でも長時間にわたって続けると飽きてきて、仕事の量や質の低下につながります。

この飽きた状態のことを心理学では、「心的飽和」と呼びます。

単純作業に従事する際、仕事をゲーム化すると、心的飽和を解消できます。たとえば、「最も早く作業を終えた人は、賞品として缶コーヒー1本もらえる」ようにする。

あるいは、企画を立てる際は、山手線ゲーム（古今東西ゲーム）のように、「お題」としてひとつのテーマを定め、そのお題に沿ったアイデアを参加者が答えていく。すると、ゲーム性が加わり、リラックスしながらアイデアを出すことができます。

「game」という単語には、「猟の獲物」という意味もあるため、ゲームに勝った人が賞品を手にするのは、語源としても正しいと思います。

私が企業研修の講師を務めるときに、アイデア出しゲームをすることが

あります。

「新しい商品のアイデアを左の席から順番に出していってください。全部で5周します。パスをしてもかまいません」というルールを決めて、アイデアを出してもらいます。

最初から深刻に考えると、柔軟な発想は出てきません。しかしゲーム感覚であれば、「きちんとしたアイデアを出さないといけない」「つまらないことを言ってはいけない」という思い込みから外れ、自由にアイデアを出し合うことが可能です。

チームでゲームを取り入れる

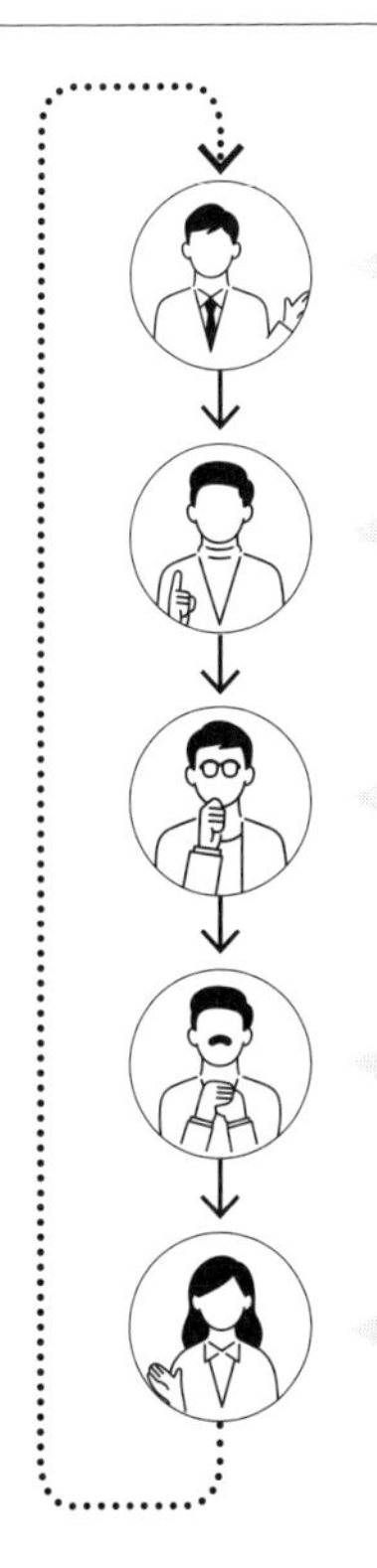

新商品は今までになかったものがいい！
今、人気のうちの○○を低価格に改良するのは？
それもいいけれど、○○に新しい種類を加えるのは、どうだろう？
性能を改善するっていうのは？
30代がターゲットだけれど、50代をターゲットにするのは？

Point!

出たアイデアにプラス、マイナスしていくと、アイデアが浮かび上がってくる

知的生産性を上げたいなら、意識の量を増やす

才能や努力よりも大切なのは、意識の量

仕事の生産性が低いとしたら、その原因は、才能や能力が欠如しているからでも、職場環境が悪いからでもなく、自分の「意識の量」が足りないから、かもしれません。

自分の意識の量よりも大きい問題を抱え込むと、失敗します。

反対に、失敗したくないからといって**自分の意識の量に合わせて小さくまとまると、知的生産性は上がりません。**

【意識の量が足りない人の例】（拙著『「意識の量」を増やせ！』光文社新書より）

・ミーティング中、みんなが積極的に発言しているのに、ひと言も発言しないでぼーっとしている。
・頭はいいし、よく勉強しているようだが、仕事となると能率が悪い。
・「自分は悪くない」と主張するばかりで、反省しないし謝らない。
・相手の神経を逆撫でするようなことをサラリと言うが、相手が傷つ

いていることに気づかない。
・同年代同士で固まっていて、年上の人になじめない。
・「これをやったら次にどうなるか」という簡単な予測ができず、ミスを繰り返す。
・質問をしているのに答えない。反応が薄く、聞いているのかいないのか、よくわからない。
・余裕がない。傍目から見ると、そのテンパりかげんのせいで人間関係を壊したり、突然自分の仕事を放り出してしまったりするんじゃないかと心配になる。

こうした**モチベーションの低さ、効率の悪さ、非生産性を引き起こしているのは、意識量不足**です。

意識の量が不足している人は、機転が利かなかったり、場の空気が読めなかったり、相手の意志をくみ取るのが苦手だったりと、気づく能力が致命的に足りません。

仕事ができる人とは、意識の量が多い人のこと

知的生産性が高い人は、人より才能に優れているわけではなく、「意識の量が多い」人です。

たとえば、**こちらの言うことにすぐに反応し、的確な相槌を打ち、相手のことを考えたアドバイスを与えてくれる人は、明らかに意識の量が多い人**です。

これからの時代に私たちが目指すべきは、意識高い系ではなく、「意識の量が多い系」です。

仕事の知的生産性を高めたいのなら、まずは意識の量を増やしましょう。

【意識の量の増やし方】

① 自動化する作業をどんどん増やす

ピアノを練習すると自動的に指が動くようになるように、**仕事でも、反復練習によって意識せずに実行できる作業を増やしていきます。**すると、ほかの作業に意識を集中できるようになります。

② リスクを取る

リスクを恐れずに新しいことにチャレンジします。ミスの原因を作ったのも、問題がなかなか解決しないのも、自分の意識の量が足りなかったからです。**失敗の経験は、意識の量を増やす機会です。**

③ 休まないで続ける

休まないでやり続けると、「面倒くさい」と思う気持ちよりも、「これをやれば、こんなことも可能になる」という気持ちのほうが大きくなります。

④ 量をこなして質を上げる

意識の量が多い人は、仕事を大量にこなすことが可能です。アウトプットした仕事の量が多いということは、それ自体が練習になっているわけなので、練習量が多いということにもなります。練習量が多くなれば、次第にアウトプットの質が向上します。

私の授業では、学生の意識の量を増やすために、突発的にキーワードを与えて、それに対して答えさせるというレッスンをします。

「はい、ではこれについて30秒で考えて、30秒で自分の考えを発表してください」

次々とキーワードを出して、パッと考え、パッと言葉にする。頭をフル回転させなければなりませんから、これを続けていると、学生の意識の量がアップします。

一般的に、**「量をこなすと質が落ちる」と考える傾向にありますが、実際には逆です。**量の積み重ねがあってこそ、ある時点で質的な変化が生まれます。

⑤意識の量の多い人にふれる

意識の量が多い人を自分の起爆剤として用意しておくと、自分の意識の量に変化を与えることが可能です。

たとえば、ライブを見たあとに高揚感を覚えるのは、アーティストの意識の量、意識の強さに影響を受けるからです。

仕事をする意識も、本を読む意識も、ライブに参加する意識も、勉強をする意識も、すべて同じ意識です。ですから、ライブを見て盛り上がった気持ちを「よし、明日も頑張ろう」と仕事に向けた意識に変換させます。すると、意識の量が多い状態で、仕事に向き合うことができるのです。

直感と論理思考を組み合わせて、知的判断を下す

「速い思考」と「遅い思考」を組み合わせる

ノーベル経済学賞を受賞した行動経済学者、ダニエル・カーネマンは、著書『ファスト&スロー――あなたの意思はどのように決まるか？』（ハヤカワ・ノンフィクション文庫）において、私たちの下す判断の多くが誤っていることを明らかにしています。

私たちは、ふたつの思考モードを持っています。それは、「速い思考（＝ファスト）」と「遅い思考（＝スロー）」です。

【速い思考】
努力せずとも自動的に、直感的に、すばやく働く思考モード。印象をすぐに感じ取ったり、発想や連想することが得意。ものの距離感や音の方角の感知なども、速い思考。

【遅い思考】
論理的で遅い思考モード。注意力を必要とし、気が散っているとう

まく働かない。たくさんの文字の中から必要な情報だけを抜き出す、聞こえてきた言葉が何語かを聞き分けるといったときに働く。

意思決定は「速い思考」↓「遅い思考」の順に行われます。

ほとんどの場合、物事の意思決定は「速い思考」によって処理され、慣れた状況では、速い思考だけでも正確に判断することが可能です。

ですが、計算問題など「速い思考」だと答えが導き出せないときは、「遅い思考」が働きます。

たとえば、書店で本を選ぶときも、私たちの頭の中では「速い思考」と「遅い思考」が効率的に思考を分担しています。

数ある本の中から「これはなし、これもなし、これもなし、これはあり、これはあり、これはなし」と「直感的」に選り分け（速い思考）、そのあとで「あり」の本を手に取り、「この本が、本当に自分の役に立つのか」「面白そうか」と時間をかけて判断（遅い思考）しています。

企業の採用担当者が、面接開始から数十秒で「採用したいか、したくないか」を判断するのは「速い思考」。

「採用したい」と思った人を選別し、2次面接、最終面接と進む過程で絞

速い思考、遅い思考

直感的な
速い思考

論理的で
遅い思考

- □頭を使ったという感覚がない
- □数字に対して誤った認識を持ったケースが多い
- □バイアスがある

- □客観的に物事をとらえる
- □注意力が必要
- □決定権を持つ

Point!

速い思考には誤りもあるため、遅い思考も組み合わせて判断を

り込んでいく作業は、「遅い思考」によるものです。

「論理的思考の出番があれば間違わなかった結論も、直感だけを信じると間違える」

「思考にはさまざまなバイアスがあり、それによって間違った結論を出してしまう」

など、カーネマンが主張する意思決定の仕組みがわかっていると、知的判断が下しやすくなります。

デスクに本を置くだけで、仕事の質が変わる理由

2週間ごとに置く本を変えるだけで、知性が積み上がる

たとえば『ファスト&スロー——あなたの意思はどのように決まるか？』を買ったなら、すべて読み終えていなくてもいいので（内容の大筋をつかんだだけの状態でもいい）、職場のデスクの上に立てかけておく。

すると、**その本の背表紙を見るたびに内容を思い出すので、「やり忘れ」を防ぐことができます。**背表紙が目に入るたび、

「直感だけで物事を判断してはダメだ」
「すべての商品を細かくチェックする時間はないので、直感的に数を絞り込もう」

といったことを意識するようになり、**意思決定の仕方が変わります。**

もちろん、どんな本を置いてもいいのですが、置くのであれば、意識の量が多くなるものを置くほうがいいでしょう。ここでは、おすすめの「置く本」をご紹介します。

◎『坂の上の雲』（文春文庫）

司馬遼太郎の『坂の上の雲』をデスクに置いておけば、「自分はどんな

リーダーであればいいか」という指針になります。

ロシアのバルティック艦隊を撃滅するため、海軍戦術を研究し続けたのが、秋山真之です（日露戦争の海軍作戦担当の参謀）。

「戦略戦術の発想法は、物事の要点は何かを考えること」

「戦いには戦術が要る。戦術は道徳から解放されたものであり、卑怯も何もない」

「人の頭に上下などはない。要点をつかむという能力と、不要不急のものは切り捨てる大胆さだけが問題だ」

「流血のもっとも少ない作戦こそ最良の作戦である」

といった秋山真之の言葉は、リーダーとして新たな挑戦に取り組むときのヒントになります。

◎『高橋是清自伝』（中公文庫）

高橋是清は、特許や商標など、日本の産業財産権制度の生みの親と言われる政治家です。

・米国留学時代に、手違いで奴隷に売られてしまう。

・帰国後は、農商務省の官吏となって専売特許局長にまで昇進したものの、その職を辞して南米に渡り、ペルーで銀山開発に取り組む。
・しかしこれに失敗、無一文で帰国。
・当時の日本銀行総裁、川田小一郎に声をかけられ、建築中だった日本銀行本館の「建築所事務主任」として採用。その手腕を認められる。
・副総裁時代には日露戦争の戦費調達に成功。
・1911年に総裁に就任。
・政界に身を転じ、総理大臣を1回、大蔵大臣を7回（うち1回は総理大臣との兼任）務める。
・1936年の「二・二六事件」で凶弾に倒れ、波乱の生涯を閉じる。

デスクの目に留まりやすいところに『高橋是清自伝』を置いておけば、

「逆境と失敗が人間を鍛える」

「信念に従って生きなければ、大きな結果を生み出すことはできない」

といった強い気持ちを持ち続けることができます。

◎『フランクリン自伝』（岩波文庫）
ベンジャミン・フランクリンは、アメリカ独立宣言の起草委員のひとりであり、政治家・科学者としても成功した「アメリカ建国の父」です。

勤勉で強い探究心を持ち、合理主義的で、近代的人間像を象徴する人物と言われています。

フランクリンは、自分を道徳的に完成させる手段として、自らの信念を13の徳目にまとめました。そして、1週間でひとつの徳目を実行したそうです（このサイクルを年に4回繰り返す）。


「節制」飽くほど食うなかれ。酔うまで飲むなかれ。

「沈黙」自他に益なきことを語るなかれ。駄弁を弄するなかれ。

「規律」物はすべて所を定めて置くべし。仕事はすべて時を定めてなすべし。

「決断」なすべきことをなさんと決心すべし。決心したることは必ず実行すべし。

「節約」自他に益なきことに金銭を費やすなかれ。すなわち、浪費するなかれ。

「勤勉」時間を空費するなかれ。つねに何か益あることに従うべし。無用の行いはすべて断つべし。

「誠実」詐りを用いて人を害するなかれ。心事は無邪気に公平に保つべし。口に出すこともまた然るべし。

「正義」他人の利益を傷つけ、あるいは与うべきを与えずして人に損害を及ぼすべからず。

「中庸」極端を避くべし。たとえ不法を受け、憤りに値すと思うとも、激怒を慎むべし。

「清潔」身体、衣服、住居に不潔を黙認すべからず。

「平静」小事、日常茶飯事、または避けがたき出来事に平静を失うなかれ。

「純潔」性交はもっぱら健康ないし子孫のためにのみ行い、これに耽りて頭脳を鈍らせ、身体を弱め、または自他の平安ないし信用を傷つけるがごときことあるべからず。

「謙遜」イエスおよびソクラテスに見習うべし。


『フランクリン自伝』をデスクに置き、自分もフランクリンと同じように、1週間にひとつずつ徳を徹底する。すると、道徳的実践力を身につけることができます。

同じ本をいつまでも置いておくと新鮮さが失われるので、2週間ごとにデスクに置く本を更新する（あるいは新しく追加する）ようにしていくと、知的な積み上げを続けることが可能です。

雑談は、組織の知的生産性を上げる地力である

雑談力を上げる5つのポイント

雑談とは、さまざまなことを気楽に話すことです。雑談は、やわらかな人間関係を築く上でとても重要です。

初対面同士でも、**わずか30秒の雑談をはさむことで、相手に安心感や信頼感を与えることができます。**

社内の同僚が相手の場合も、**会うたびに30秒～1分程度の雑談をするだけでお互いのことがわかるようになって、心の距離が縮まります。**社内に「気心が知れている人」が多ければ、何か急なお願いごとをしたときでも、「もちろん、いいですよ」と引き受けてくれるでしょう。

雑談力を上げるポイントは、次の「5つ」です。

【雑談力を上げる5つのポイント】

①「出会いの挨拶＋ひとネタ＋別れの挨拶」が雑談の基本形
②相手が好きなことについて話す
③結論は出さない
④相手の話を肯定する

⑤すれ違いざまの10秒を意識する

①「出会いの挨拶＋ひとネタ＋別れの挨拶」が雑談の基本形

人に会ったら挨拶だけで終わらせずに、**「話題を付け加える」ことで雑談に発展**させましょう。気持ちが打ち解けて、安心感や信頼感もアップします。

②相手が好きなことについて話す

面白いことや気の利いたことを言う必要はありません。雑談は話の内容ではなく、雑談すること自体にコミュニケーションとして意味があります。話すのが苦手なら、「○○はどうですか?」「こんなことをしたいのですが、教えていただけませんか?」と話題を振って、相手に話してもらうようにします。自分よりも相手に話の主導権を握らせたほうが、雑談は盛り上がります。

人間は好きな物事について話を振られると、語りたくなります。相手の答えにどんどん質問をつけて、ひたすら返すだけで、雑談は成立します。

相手の得意分野がひとつでも見つかったら、毎回その話をしてもいいでしょう。

たとえば、私の大学の同僚に将棋が好きな先生がいます。廊下で会うたびに雑談をするのですが、20年間、ほとんど将棋の話しかしていません。しかも私は将棋に詳しくないので、『今年の竜王戦はどうですか？』などと、最低限の知識で質問する程度です。それでも人間関係は築けています。

③結論は出さない

無理に結論を出そうとすると、そこで雑談が終わってしまいます。**オチはつけず、ゆるく話を広げるのが雑談のコツ**です。

④相手の話を肯定する

相手に気持ちよく話してもらうには、興味がないこと、嫌いなこと、自分の考えと違うことでも、頭から否定したり、反対したりしないことが大切です。

自分の考えが相手と違っていても反論せず、「なるほど、そういう考えもありますね」と受け止めておく。**自分の考えを主張するのではなくて、相手の文脈に寄り添うのが雑談の基本です。**

雑談はトーク術ではない

挨拶＋ひとネタ

相手が好きなことについて話す

オチはいらない

ベストタイムは30秒

相手の話を受け止める

Point!

雑談は、会話ではなく人間同士のおつきあい

⑤すれ違いざまの10秒を意識する

話を潔く切り上げるのも大事なポイントです。**雑談のベストタイムは「30秒」**。そして、雑談になり得る時間の最小単位は、「10秒」です。10秒あれば、誰でも雑談ができます。

相手と黙ってすれ違うのではなく、「出会いの挨拶＋ひとネタ＋別れの挨拶」を心がける。たったの10秒の雑談でも、お互いの心がほぐれて場の空気も変わります。

私は大学の授業に、「齋藤式雑談力養成ゲーム」を取り入れています。このゲームは、学生が山手線のように内と外に並び、目の前の人と30秒間雑談をして、30秒経ったら相手をチェンジして次の相手と30秒間雑談をする、というものです。

ほとんどの学生が最初は苦戦しますが、次第に人慣れしてきて、緊張せずに話ができるようになります。「出会って、挨拶をして、ひとネタ話して（聞いて）、なごんで、別れる」という雑談は、練習を重ねることで誰でも上達するので、ぜひ試してください。

第4章

働き方のマインドセット

——結果を出すために、どう考えるか

考え方を変えなければ、知的生産性は変わらない

考え方がアウトプットに影響する

物事の結果は、考え方に左右されます。

ドイツの社会学者、マックス・ウェーバーは、主著『プロテスタンティズムの倫理と資本主義の精神』（岩波文庫）の中で、「キリスト教における禁欲生活と勤勉の倫理が、資本主義の発展に寄与した」と説明しています。労働に専心して励みながら世俗的な富の追求と距離を置いたことで、はからずも、資本主義が成立しました。

つまり、資本主義という「結果」は、「自分の仕事に一心不乱に打ち込めば、神に救われる。だから、禁欲的にせっせと労働に励もう」とするプロテスタンティズム（キリスト教の教派のひとつ）の「考え方」によってもたらされたと解釈できます。

仕事における知的生産性も、「マインド設定」に左右されます。**意欲・姿勢・スタンス・心構え・パッション**といった**「心の持ちよう」が、アウトプットの質に関わっている**からです。

私はかつて、ストレスをたくさん抱え、不機嫌に生きていた時代があり

ました。仕事はなく、お金もなく、あるのは悩みと不満だけ。当時の私は、いつもイライラして、いつも何かに腹を立て、他人を寄せつけない負のオーラを撒き散らしていた気がします。

ですが、教壇に立つようになり、少しずつ私のマインドは変わりました。

「こんなにモヤモヤした気持ちのままでは、学生に教えることなんて、できない」

この事実を認めたことで私の考えは180度変わり、そして、考え方が変わったことで仕事の結果が変わったのです。

私が仕事への不完全燃焼感から抜け出すことができたのは、考え方を変えたからです。

仕事の結果を変えたいのであれば、仕事の「あり方」「考え方」を変えることが先決です。

長時間労働を是正するには、「働き方マインド」を変える

2018年通常国会で「働き方改革関連法」（正式名は「働き方改革を推進するための関係法律の整備に関する法律」）が成立しました。

働き方改革を推進するために、厚生労働省は、「時間外労働の上限規制

を導入」「毎年5日、時季を指定して有給休暇を取得」「正規雇用労働者と非正規雇用労働者の間での不合理な待遇差を禁止」といった制度の整備を進めていますが、「立法措置を講じるだけでは、長時間労働は是正されないのではないか」と私は考えています。

日本の職場に根づいた残業体質を変えるには、法制化と同時に、社員の意識（マインド）を変えなければなりません。

なぜなら、日本企業の残業体質や非生産的な体質を作り上げたのは、社員の意識（＝長時間労働をよしとする働き方）にほかならないからです。

働き方改革を浸透させるためには、「マインドとアクションのどちらを先に変えるべきか」という疑問に対して、私は「マインド」だと答えます。社員のマインドを抜きに、働き方改革を語ることはできません。

働き方の3タイプ「労働者」「職人」「芸術家」

「労働者」「職人」「芸術家」、それぞれの特徴とは？

『人間らしさとはなにか？――人間のユニークさを明かす科学の最前線』（マイケル・S・ガザニガ、柴田裕之訳、インターシフト）という本の中に、作家のルイス・ナイザーが残した名句が紹介されています。

「手を使って働く者は労働者、手と頭を使って働く者は職人。だが、手と頭と心を使って働く者は芸術家だ」

私も、働き方には「労働者」「職人」「芸術家」の3つのタイプがあると考えています。

> **【労働者】**
> 自分の時間を労働力として提供する存在。

チャールズ・チャップリン監督・主演の映画『モダン・タイムス』がアメリカで公開されたのは、1936年でした。

この映画の主人公チャーリーは、近代化された巨大な工場で働いています。工場経営者は、作業場の様子を巨大なモニターで監視しているため、チャーリーはどこへ行っても心休まる時間がありません。

ベルトコンベアのスピードに追いつこうとしてネジを締める動作を繰り返すうちに、チャーリーは、女性の服のボタンまでスパナで締めようとします。やがて正気を失い、ついには病院へ送られてしまうのです。

この映画は喜劇ですが、あながちフィクションだとは言い切れないと思います。こうした単純労働やルーティン作業は非人間的な側面もあるため、仕事の中にやりがいを見出すのは難しいかもしれません。

しかし、「ワーク・ライフ・バランス」（仕事と生活の双方の調和）を考えたとき、たとえば、「ある程度、ワークの部分で犠牲を払ってもいい。資本家になれない以上、労働力を切り売りしてもかまわない。その代わり、ワークで得た収入で『ライフ』や『プライベート』を充実させよう」とする考え方も成立します。労働者の仕事はクリエイティブではないものの、生活を支える手段としては選択肢のひとつです。

【職人】

自分の技術を発揮して、相手の要望に応える存在。

基本的には、依頼を受けて仕事をする。決められた納期や制約の中で、技術を最大限に発揮する。１００点満点ではなくても「合格点」

に達していれば、その仕事を完納する。

幸田露伴(こうだろはん)が残した不朽の名作、『五重塔』には、腕はあるものの融通のきかない性格から「のっそり」と蔑(さげす)まれる大工、十兵衛が登場します。「谷中感応寺(やなかかんのうじ)の五重塔建立」を知った十兵衛は、「一生に一度あるかないかのその仕事をやり遂げたい」と自ら志願。恩義ある親方の源太と棟梁の座を張り合い、辛苦の末、ついに五重塔を完成させました。

頑固で偏屈。けれど腕は一流。怒った源太の子分に大けがを負わされながらも、「1日なりとも仕事を休んで職人どもの上に立てるか」と奮起した十兵衛の「働き方」は、まさに職人です。

職人といえば、十兵衛のように、「熟練した技術(伝統工芸の技)によって、手作業でものをつくり出す人」を指すことが一般的ですが、私は手工業者に限らず、「自分の技能を信じ、誇りを持って仕事をする人」「あることを専門に行い、高い技術を持つ人」はすべて職人であると広く解釈しています。

たとえば、ネットワーク、データベース、セキュリティといった「IT のスペシャリスト」も職人です。

2013年に公開された映画『謝罪の王様』は、架空の職業「謝罪師」を生業とする男、黒島譲が、謝罪のテクニックを駆使して事件を解決していく映画です。ケンカの仲裁から国家存亡の危機まで、謝り倒して解決する黒島譲は、「謝罪職人」です。

業種・職種を問わず、**専門性の高さで勝負するのが、職人の真骨頂**です。

【芸術家】

儲けよりも、「表現したいものを表現する」ことに注力する人。

依頼がなくても、自己表現の手段として技術をふるう。納期にはとらわれず、100点満点の完成度を目指す。理想の実現のためには、労力を惜しまない。

芸術家と職人の違いは、「売る」ことに関するマインドの違いです。

フィンセント・ファン・ゴッホとレオナルド・ダ・ヴィンチは、ともに芸術家として知られています。

ゴッホは自分のスタイルで絵画の真実を追求したため、絵は生前売れませんでした。まさに芸術家です。

ですが、ゴッホとダ・ヴィンチを「働き方」の観点で比べてみると、ゴッホには、「職人」としてのマインドが備わっていたのではないか、と私は考えています。

一時期、ゴッホは日本美術に心酔し、浮世絵に大きな影響を受けています。ゴッホが興味を抱いたのは、浮世絵の美的価値はもとより、制作工程でした。

浮世絵の世界は、絵師（絵を描く職人）、彫り師（版木を彫る職人）、摺(す)り師（紙に摺る職人）の分業体制が確立しています。ゴッホは浮世絵の分業にならって、南フランスに協同組合（画家や画商を集めた芸術村）の創設を計画しています。

一方、ダ・ヴィンチは、あらゆる作品が「未完成」にとどまっています。フランチェスコ・デル・ジョコンドの依頼を受けて描いた、ジョコンド夫人の肖像画「モナ・リザ」も未完成です。

完璧を目指して妥協を知らないダ・ヴィンチは、「天才的な芸術家であって、職人ではなかった」というのが、私の見解です。

「3つの働き方」を
ブレンドさせて働くのが理想

どの働き方も「あちら立てれば、こちらが立たぬ」のトレードオフです。

・「時間を切り売りする労働者」としての働き方
……「提供した労働力に対する報酬はもらえる」⇅「創造性や独創性を発揮しにくい」
・「高度な専門技能を備えた職人」としての働き方
……「専門性を発揮できる」⇅「技術の習得・修練が必要」
・「自分の理想を追求する芸術家」としての働き方
……「自己表現性を満たすことができる」⇅「経済的に自立しにくい」


これからの時代は、どれかひとつの働き方に偏るのではなく、3つの働き方を織り交ぜていくことが大切です。

「会社のルールや規則、方針に自分を合わせる」のも大切。

「スキルを磨いて専門性の高い仕事をする」のも大切。

「クリエイティビティやオリジナリティを発揮する」のも大切。

ワーク・ライフ・バランスを踏まえながら、働き方の割合を柔軟に変えていくことが求められています。

仕事が単調でも、複雑でも、どちらもやりがいが得られない？

近年、人材不足に頭を悩ませる企業が増えています。採用が難しい時代には、既存の人材を最大限に活用するしかありません。そのひとつの方法が「多能工（たのうこう）の育成」です。

> **【多能工】**
> ひとりで複数の作業や工程を遂行する技能者。トヨタ自動車工業（現トヨタ自動車）の副社長であった大野耐一（おおのたいいち）氏が考案した概念。

かつては単能工（ひとつの作業を受け持つ人材）が一般的でしたが、近年では、マルチスキルを生かす多能工が求められています。ひとりで複数の業務ができる人材が増えると、組織は劇的に改善するからです。

しかし、多能化と仕事のやりがいは、必ずしも比例しません。

『モダン・タイムス』が示した世界では、機械が人間の作業ペースを規制しているため、人間性を無視しています。やりがいも見えにくい。

ところが、単能工が多能工に変わったからといって、あるいは、単純作業が複雑作業（複数作業）に変わったからといって、作業者の充足感につながるとは限りません。

能力や素養があったとしても、営業も、経理も、企画も、社員教育も……、ひとり何役も仕事を託され、それでいて給与が増えないとしたら、充足感を覚える以前に、疲弊します。

一方で、単純作業に従事することになっても、「ライフを充実させるため」という目的意識を持っていれば、「つまらない」とたやすく投げ出すことはないと思います。また、同時にふたつ以上の作業をすると、ひとつに集中するよりアウトプットの質が落ちてしまうケースもあります。

さらに、仕事が単調でやることが少なくても、仕事が複雑でやることが多くても、気力を失うことがあります。

仕事のやりがいは、仕事の量や複雑さから生じるのではなく、目的意識から発するものです。だからこそ、**「自分は、どのような働き方をしたいのか」を考え、マインドをセットする**ことが必要です。

健全なコンディションが知的生産性を高める

「コンディション」が整っていなければ、実力は発揮されない

仕事において最高のパフォーマンスを発揮するには、「心身」のコンディションを整えることが大切です。

どれほど能力が高くても、どれほどスキルを磨いても、コンディションが悪ければ、よい結果を残すことはできません。

チームスポーツの世界では、「能力は高いが、コンディションに不安がある選手」と「能力はやや劣るが、コンディションが整っている選手」がいた場合、後者を起用することがあります。**コンディションが整っている選手を使ったほうが、チームのパフォーマンスは上がる**からです。

〈身体（フィジカル）のコンディション〉

大学での講義、年間30冊以上に及ぶ本の執筆、講演、テレビ出演など、たくさんの仕事をこなしているので、私のことを「疲れ知らずな身体の持ち主」だと思っている人もいるようです。

実際はその逆で、以前の私は「疲れしか知らない身体の持ち主」でした。

東京に出てきたばかりのころは、満員電車に乗っただけでヘトヘトになり、

スーツを着ただけでクタクタになっていました。

人一倍疲れやすい私が、今のように元気に仕事ができるのは、「疲れにくい身体」をつくるための努力を続けてきたからです。

自律訓練法（ドイツの精神科医、シュルツ医師が考案した自己暗示）、ヨガの呼吸法、日本に古くから伝わる武道など、さまざまな健康法を学び、実践してきました。

《私が実践している「身体のコンディションを整える方法」一例》

・腰と腹を中心に身体を動かす

普段からおへその少し下あたり（臍下丹田）を意識して身体を動かすと、日本人の体型に合った「身のこなし」ができるようになり、疲れが軽くなります。

・肩甲骨をほぐす

私は、「人生は肩甲骨！」という意気込みで（笑）、肩甲骨をほぐし続けています。

肩甲骨（背面部から肋骨を覆っている骨のこと）をほぐすと、「肩まわりの血流がよくなって、肩こりが緩和される」「姿勢がよくなる」「上半身の柔軟性がアップする」「呼吸がしやすくなる」などのメリットが期待できます。

肩甲骨全体を大きく回すだけで、疲れた身体が回復します。

・自分の身体をゆらゆらと揺らす

息を吐きながら、上体を下にぶら下げるような感覚で前に倒します。自分の重さを感じながらゆらゆら揺れると、無駄な力が抜けて身体がやわらかくなります。

心と身体は密接につながっています。心にも身体にも必要なのは、柔軟性です。

私が理想としているのは、「心も身体も小学生並に柔軟」でありながら、「頭の精度や経験値は大人」であることです。

私は、身体がやわらかくなれば、心もやわらかくなると考えています。身体がやわらかくなると、固定観念や先入観がなくなって、子どものように好奇心を持つことができます。新しいことにも心をオープンにできるので、常に自分をアップデートすることが可能です。

・サウナで汗を流す

汗をかきにくいなど、新陳代謝の悪さを改善したい人には、サウナがおすすめです。水分補給を十分しておいて、大量の汗を流すと、頭（脳）と身体の疲れのバランスを取ることができます。

また、サウナに入ると身体が適度に疲れるため、夜ぐっすり眠ることができます。

・瞬間仮眠する

目を閉じた状態で、深く、規則正しく呼吸をすると、起きていながら、身体を休めることができます。目を半分閉じた「半眼（はんがん）」にするだけでも、休まります。「1分寝る」といった瞬間仮眠が、頭をスッキリさせます。

身体と頭（脳）の疲労度のバランスが悪いと「疲れ」の原因になりやすいので、こまめに身体を動かして、身体と頭のバランスを取ることが大切です。

人間の身体は一人ひとり違いますから、さまざまな方法を試しながら、自分に合う調整方法を見つけてください。

仕事の予定を組むときは、「疲れそうな仕事の直後に仮眠の時間を一緒に取る」「精神的にキツイ仕事の場合には、小さなごほうびをセットする」など、**「仕事と、疲れを取る時間」をワンセットにして考える**と、パフォーマンスの高い仕事を続けることができます。

〈心（メンタル）のコンディション〉

メンタルの整え方には、主に「ふたつ」の方向性があります。

①不安、恐れ、後悔といった心の痛みを「ケアする」方向性
②心が折れないようにするために「鍛えて強くする」方向性

①ケアする方向性

ビジネスの場で実践されているストレスマネジメントのひとつに、「マインドフルネス」と呼ばれる瞑想法（呼吸法）があります。

マサチューセッツ大学のジョン・カバットジン名誉教授が、禅・ヨーガの実践経験をもとに開発したプログラムです。

ストレス軽減や集中力の向上に役立つ心的技法と見なされ、2010年代半ばごろから、欧米の企業を中心に社員研修に導入されています。

マインドフルネスとは、
「今この瞬間の自身の精神状態に深く意識を向ける」
ことです。

日本マインドフルネス学会では、次のように定義しています。
「今、この瞬間の体験に意図的に意識を向け、評価をせずに、とらわれのない状態で、ただ観ること。なお、『観る』は、見る、聞く、嗅ぐ、味わう、ふれる、さらにそれらによって生じる心の働きをも観る、という意味」

要するに、過去の失敗や未来の不安から抜け出し、心を「今」に向けた状態を「マインドフルネス」と言います。

心の中に、イライラ、怒り、不安、怯え、自己嫌悪などが芽生えてきたとき、呼吸を整えながら、「今、今、今……」と、「今、この瞬間」の現実に意識を向けていく。そうすれば「今」が、過去や未来に侵食されることはありません。

集中力アップや生産性向上を図るには、ネガティブな感情から離れて、「今」を大切にすることが重要です。

コンディションを整える
身体のコンディション
心のコンディション
肩甲骨をほぐす
静かに音楽を聴く
身体を揺らす
深く長い深呼吸
仮眠
映画で涙を流す
健全なコンディション
いつも上機嫌
↓
パフォーマンス
が上がる
Point!
疲れづらい心身を保つと知的生産性が上がる

心の状態をクリーンに保つためのセルフケアが、マインドフルネスです。

《私が実践している「心をケアする方法」一例》

・悲しい映画や演劇を見てカタルシス

深い人間理解で作品（登場人物）とつながったときに流れる涙は、人の心を浄化させます。

アリストテレスは、『詩学』でカタルシスが悲劇の本質だとして、「悲劇が観客の心に怖れと憐れみの感情を呼び起こすことで精神を浄化する」と説いています。

怖れや悲しみがあふれ出ることは、心の澱（おり）を排出することであり、その結果として爽快感を覚えます。

・「沈黙」の時間を持つ

沈黙には、人の心を癒やす力があります。

静かに音楽を聴く。静かに本を読む。静かに香りを聞く（心の中で香りをゆっくり味わうこと）……。

沈黙とは、何かを「味わう時間」です。「味わう時間」を1日1時間くらいセットすると、気持ちが落ち着いて癒やされます。

②鍛えて強くする方向性
　メンタルを鍛えるとは、

「厳しい状況に直面しても、自分を保てる精神力を養うこと」です。

　たとえば武士の世界は、「メンタルを鍛えた世界」の象徴です。

　主君・上位者の命令や彼らへの忠義は絶対的であり、武士は名誉のためにいつでも命を捨てる。法が要求しなくても、自ら「責任あり」と判断した場合、切腹をする……。

　身命を惜しまない人のメンタルは、最強です。怖いものがない。

　自分が犠牲になって義に殉じるほど、武士のメンタルは強かったのです。

　戦後復興期の日本人も、強いメンタルを持っていました。特需、貿易、技術など、日本の復興を成功させた要因はいくつもありますが、奇跡的な復興を可能にしたのは、

「戦争の抑圧から抜けて、自由な空気を感じたい」

「特攻で戦死した戦友に恥じない生き方をしたい」

「家もなく食べることもままならない状態から、物質的に満たされたい」

と切望する強烈なエネルギーでした。

戦争体験者の「あの戦争を生き抜いたのだから、何が起こっても絶対に大丈夫」という生に対する絶対的な自信が、復興の原動力です。「死ぬよりマシ」「戦時中よりマシ」というメンタルを持つハイスペックな人たちが力を決集したからこそ、日本の再建は叶ったのだと思います。

戦後の成長期もまた、武士の世界と同様に、「強いメンタル」が支えていたのです。

《私が実践している「心を鍛える方法」一例》

・深く長い深呼吸

緊張やプレッシャーを感じたときは、「フーッ」と長く吐く呼吸を繰り返します。すると、身体にかかっている無駄な緊張から解放され、気持ちを落ち着かせることができます。

・本を読む

読書とは、「自分とは次元の異なる人の考えにふれる行為」です。

本を読むと、新しい考え方や、新しいものの見方を知ることができるため、強い精神力が養われます。

また、本を読んで理解するにはある程度の集中力が必要なので、読書習慣が身につくと、「疲れにくい脳」を作ることもできます。

気合と根性は、本当に時代錯誤なのか？

私が根性論を全否定しない理由

私は、気合と根性を重んじる時代に生まれ育っています。土産物店に、『根性』というプレートの貼られた東京タワーの模型」が置かれていても、まったく違和感のなかった時代です。

『巨人の星』や『あしたのジョー』といった「熱血スポ根もの」が全盛期でしたから、「腕が折れるまで投げる」「真っ白な灰になるまで戦う」といった矜持（きょうじ）も理解できます。

私はたびたび、「齋藤先生は、いったい、どこまで本を出すつもりですか？」と質問をいただきます。その答えは、「灰になるまで」です（笑）。

今の時代に、武士や戦争経験者のような強靭なメンタルを人工的に作り出すことはできません。パワハラや虐待につながりかねないからです。「苦難に屈しない精神があれば、何でも解決する」とする発想は、時代錯誤とみなされています。

特に、草食系の若者が増えている今、教育の現場でも、ビジネスの現場でも、しごき、ガッツ、負けじ魂、「汗と、涙と、ド根性」はそぐわない。

ですが、私は「根性論」をすべて否定するつもりはありません。なぜなら、**「新しいことにチャレンジするとき」や「今の仕事を最後までやり遂げたいとき」には、気合と根性（勇気と言い換えてもいい）が必要になる**からです。

フリードリヒ・ニーチェを偏愛する私は、『座右のニーチェ──突破力が身につく本』（光文社新書）、『絶対に負けない強い心を手に入れる！超訳こども「ニーチェの言葉」』（ＫＡＤＯＫＡＷＡ）を執筆し、ニーチェの哲学をわかりやすく解説しています。

「人生にはつらいことや苦しいことがあって当たり前。それを乗り越える努力をすることにこそ、生命の輝きがある……」

これが、ニーチェの教えの基本です。

ニーチェが唱える「超人」とは、「弱い自分を乗り越えてもっと強くなろう」というメッセージです。

現状の自分を乗り越えて成長する。そのための努力の尊さをニーチェは説いています。

世の中には、気合と根性だけでは解決できないことがたくさんあります。気合と根性だけで成果が出せないのも事実。しかし、**気合と根性がなければ、才能を羽ばたかせることはできない**のも事実です。

現状を変えたいのなら、時間をかけて努力し続けなければならない。そのときに必要なのが、気合と根性、つまり**「鍛えられた強い心」**なのだと思います。

理不尽さに耐えられる心の強さを身につける

一般的な傾向として、「体育会系の学生は就活において有利」だと言われています。

- 目標を達成するために、足りない技術を明らかにする分析力がある。
- 目標に向かって計画的に努力する力がある。
- チーム全体のことを考えて行動する訓練ができている。
- チームのルールを守る規律性が備わっている。
- プレッシャーに耐えてパフォーマンスを発揮できる。

などが理由ですが、**企業が考える体育会系学生の一番の強みは、「ストレス耐性の高さ」にある**と私は考えています。

体育会系の学生は、理不尽な世界を経験しています。

体育会に入ると、上級生の命令は絶対です。上級生が「白」と言えば、黒も白になる理不尽な世界です。上級生が間違っていても、耐えながら従うしかありません。その世界を生き抜いてきた学生は、社会の理不尽さ、不条理さに耐えられる心の強さを持っています。

残念ながら、世の中から理不尽さはなくならない。「正義」や「ルール」が通用しないこともあります。

だからこそ、理不尽さに耐えられる能力を少しずつ増やしていく必要があるのです。

心の強さを身につけるには、自分の中に確固たる自信や肯定感を持つ必要があります。ひとつだけの経験に基づく自信ではなく、いろいろな経験を自信にして、「俺は俺だ！」という、確信を持つことが大切です。

自分にとって心地よいもの、快適なものだけを受け入れていると、人生の可能性を自分で閉じてしまいます。自分の好き嫌いに関係なく、快適でない他者を、そして、快適ではない仕事を受け入れてみる。

その覚悟があれば、難しくても大変な仕事でも、腰を据えて取り組むことができるはずです。

そして、その先に「強い心」と価値のある宝物を見つけられると思うのです。

準備が整っていなくても、チャレンジする

自己実現者の15の特徴

心理学では、「自分の能力や本性を発揮し、より自分らしくなること」を自己実現と呼んでいます。

アメリカの心理学者、アブラハム・H・マズローは、「人間は、自己実現に向かって絶えず成長する」と仮説を立て、自己実現を果たした歴史上の人物（リンカーン、トマス・ジェファソン、アインシュタイン、スピノザ、ベートーベンなど）を分析しました。

その結果、「自己実現者には15の特徴がある」と結論づけています。

【自己実現者の15の特徴】

① 現実をより有効に知覚し、それとより快適な関係を保つこと

他人を正しく判断する能力を持っている。

② 受容（自己、他者、自然）

自分、他者、自然をあるがまま受け入れている。

③ **自発性・単純さ・自然さ**

より完全な自分になるために、自発的に行動する。

④ **課題中心的**

人生において、達成すべき何らかの使命、任務、課題を持っている。

⑤ **超越性・プライバシーの欲求**

孤独やプライバシーを好み、ひとりでいても不安にならない。

⑥ **自律性・文化と環境からの独立、意志、能動的人間**

物理的環境、社会的環境から独立する傾向にあり、自分自身の成長に興味を持つ。

⑦ **認識が絶えず新鮮であること**

ほかの人にとって新鮮味がなくなったことからも、驚き、喜び、恍惚感を味わうことができる。

⑧ **神秘的経験・至高経験**

神秘的で、地平線がはてしなく広がっているような感覚を覚えたことがある。

⑨ **共同社会感情**

人は全体の一部であり、全体とともに生きていることを実感している。

⑩ **対人関係**

深い対人関係を結ぶが、関係を結ぶ相手は決して多くない。

⑪ **民主的性格構造**

階級、教育程度、政治的信念、人種を問わず、誰とでも仲よくできる。

⑫ **手段と目的の区別、善悪の区別**

正邪や善悪を区別する高い倫理観を持っている。

⑬ **哲学的で悪意のないユーモアセンス**

通常の人とは異なったユーモアのセンスを持っている。

⑭ **創造性**

天真爛漫な子どもが持つような、創造性や独創性を持っている。

⑮ **文化に組み込まれることに対する抵抗、文化の超越**

文化に組み込まれることに抵抗し、社会の規制ではなく、自らの規制に従っている。

(参照:『人間性の心理学——モチベーションとパーソナリティ』小口忠彦訳、産能大学出版部)

自己実現者に共通しているのは、「現実を受け入れて、課題の解決に自発的に取り組んでいる」ことです。

マズローの結論はじつにシンプルで、

「自己実現をしたいのなら、働け」

ということです。

とにかく働く。

働けばあらゆる不安が解消され、あらゆる欲求が満たされると、マズローは述べています。

私も**「働くことは、人生の喜びである」**と考えています。

自己実現を果たすには、「仕事＝生活の糧を手に入れる手段」と考えるのではなく、**「仕事＝自己実現の手段」ととらえて、常にチャレンジしていくことが欠かせません。**

自分の実力では及ばない難しい仕事を前にしたとき、多くの人が、

「準備が足りない」

「今はまだ、この仕事を受ける段階ではない」

と言い訳をして、その仕事から目を背けがちです。けれど私は、現実を受け入れて、

「準備が整っていなくてもいいから、引き受ける」

「好機ととらえて、チャレンジする」

「実力が足りない部分は、気合と根性で乗り切る」と前向きにとらえたほうが、自己成長・自己刷新・自己実現につながると思います。

「機会」や「好機」の「機」を訓読みすると「はずみ」です。つまり、この機に乗るからはずみがつく（勢いがつく）わけです。

「準備ができたらチャレンジする」と考えていると、機を逃してしまいます。「チャレンジする」と決めてから準備を始めても、遅くはありません。

声がかかったときが、潮時（物事を始める時機）です。

思いもよらぬオファーから、才能が開花するケースもあります。ですから、「来るものは拒まず」で、外の要因をうまく活用しながら自分自身をイノベーションしていく姿勢が大切です。

どんな小さなことでもチャレンジを重ねると、精神衛生も格段によくなります。チャレンジしているときというのは、人はあまりマイナスなことを考えないからです。

「習ったことがないこと」「未経験のこと」でも受け入れることができなければ、知的生産も、自己成長も見込めないのです。

「守り8割、攻め2割」が脳を活性化させる

マズローは、著作『完全なる人間　魂のめざすもの［第2版］』（上田吉一訳、誠信書房）の中で、「安全と成長」について論じています。

人間には「安全欲求」と「成長欲求」が内在しています。かつては、安全を顧みずに、リスクがあろうと突っ走っていく「ワイルド世代」が中心でしたが、現在の若手は、

「安全を確保した上で、新しいチャレンジをしたい」

「安全を脅かしてまで、チャレンジはしない」

と考える「やさしい世代」です。

やさしい世代は、荒々しく生きるのが苦手であり、競争社会から身を引いた人に見られる「やさしさ志向」があります。

ストレス耐性の低いやさしさ世代が社会に出て、向こう見ずなワイルド世代の空気に接すると、たちまち心が疲弊してしまうはずです。

そうならないためには、安全をないがしろにしない状態で、「少しずつ、成長の方向へシフトする」ことが大切です。つまり、**適度にチャレンジす**

ること。

80、90パーセントは今の「安全のポジション」を保ちながら、チャレンジの要素を10、20パーセント持っていると、脳が活性化されます。

脳は新しい体験をしたときの驚きによって、ドーパミンの快感を味わうことができるので、新しいものを目の前にしたほうが、満足度は高まるのです。

刺激的な環境に身を置くと、才能が開花する

DNAのスイッチをオンにして、眠っている知的才能を目覚めさせる

今、最先端のDNA研究の進展から、「生活習慣によってDNA（遺伝子）の働きが変わる（体質、能力、病気のなりやすさなどが変わる）」ことがわかっています。

DNAには「スイッチ」のような仕組みがあって、スイッチを切り替えることで働きが変化します。

「老化を進める遺伝子」のスイッチをオフにして肌を若返らせようという研究や、寿命を延ばしたり、ガンのリスクを減らしたり、糖尿病を防いだりする研究が世界中で進められています。

『生命の暗号――あなたの遺伝子が目覚めるとき』『遺伝子オンで生きる――こころの持ち方であなたのDNAは変わる！』（ともにサンマーク文庫）の著者で、DNA解明の世界的権威、村上和雄先生と対談をさせていただいたことがあります。

村上先生によると、「実際に働いている遺伝子は全体の5～10パーセント。潜在能力という点では、天才と凡人の差はほとんどなく、あるとすれ

ば、遺伝子が眠っているか、起きているかの差」なのだそうです。

つまり、**眠っている遺伝子を起こすことができれば、誰でも限りなく才能を引き出すことが可能**になります。

では、どうすればDNAのスイッチをオンにできるのでしょうか。

たとえば、

最新の研究では、食事や運動などの生活習慣を変えることによって、DNAのスイッチが変化することが明らかになっています。

「緑茶に含まれるカテキンの一種には、『がんを抑える遺伝子』のスイッチをオンにする効果がある」

「オリーブオイルとナッツには、肥満や高血圧など、メタボの予防に関わるDNAのスイッチを変える働きがある」

「軽い負荷をかけた持久運動を継続すると、運動能力アップに関わるDNAのスイッチに加えて、さまざまな病気の予防に関わるスイッチが変化する」

（参照：NHK健康チャンネル『生活習慣によって「遺伝子の働き」を変え、健康効果をゲット!?』）

また、村上先生は「ある環境に巡り合うと、それまで眠っていた遺伝子が、活発に働き出すことがある」と提唱しています。「ある環境」とは、「激しい変化や刺激をともなう環境」です。

火事場で馬鹿力を発揮するのは、火事による危機によって人間が興奮し、眠っていた遺伝子の一部が目を覚ますからです。

「世界初の哺乳類の体細胞クローン」として知られるクローン羊のドリーは、「飢餓状態」によって生まれました。

遺伝子のすべてのスイッチをオンにしなければ、遺伝情報をコピーすることはできません。そこで、ドリーの細胞に栄養を与えるのをやめ、飢餓状態にしたところ、遺伝子が眠りから覚めたのではないかと推定されています。

ドリーも、「飢餓状態」という厳しい環境によって誕生したのです。

不愉快な出来事さえ、
ウェルカム

DNAのスイッチをオンにして、潜在能力を引き出すには、「変化」が必要です。

私は、**「突き抜けた経験」が、スイッチオンのきっかけになる**と考えています。

「突き抜けた経験」とは、今までやったことがないこと、抵抗を覚えていたこと、自分にはできないと思っていたことにチャレンジすることです。チャレンジに成功すれば「もう一度、やりたい」という快感が生じ、仮に失敗しても、そのときの刺激が脳を活性化させます。

たとえば、私の教え子の中には、「カラオケボックスで歌うのは恥ずかしくない。でも、授業中に、学友の前で歌うのは恥ずかしい」という学生がたくさんいます。

ところが一度、授業で歌って「突き抜けた経験」をすると、メンタルブロックが外れて（DNAスイッチがオンになって）、恥ずかしさが快感に変わります。ドーパミンやエンドルフィンなどの脳内物質も分泌され、「もう一度、あのスイッチオンの状態を味わいたい」と思うようになるのです。

仕事のトラブルや失敗といった、「不愉快な出来事」でさえDNAのスイッチをオンにする刺激です。愉快だろうが不愉快だろうが、「突き抜けた経験」から得られる刺激は、潜在能力を高めるきっかけになります。

やりたくない仕事、やったことがない仕事、面倒な仕事を割り当てられそうになったときは、避けるのではなく、率先して手を挙げる。

すると、DNAのスイッチがオンになって、眠っていた能力が目覚めはじめます。

興味のない仕事、やりたくない仕事、面倒な仕事を頼まれたとき、「どうして自分がこの仕事をしなければいけないのか」と否定的に解釈するのではなく、

「自分がこれをやる意味は何か」

と自分から肯定的な意味を見出していくことが重要です。

「この仕事は面倒だ」と思って嫌々ながら取り組むより、「この仕事を完遂することで、部門の生産性が上がる」と解釈したほうが、ポジティブなエネルギーが湧いてきます。

すべては解釈次第です。

その仕事をする意味は「自分で見出す」ものです。

「やらされている」ととらえるのではなく、「自分が望んでやっている」ととらえることができれば、仕事への意欲を取り戻すことができます。

気質は変えられなくても、考え方は変えられる

明治に活躍した詩人・歌人、石川啄木は、第一歌集『一握の砂』の中で、

「こころよく
我にはたらく仕事あれ
それを仕遂げて死なむと思ふ」

と詠っています。挫折を繰り返し、各地を転々とし、人生の終焉を迎えるまで、啄木の生き様は順風とはほど遠いものでした。この短歌には、職を何度も変え、働くことに苦悩した啄木の切なる心情が込められています。

ですが一方で、啄木はこうも詠っています。

「こころよき疲れなるかな
息もつかず
仕事をしたる後のこの疲れ」

たとえ今の仕事が天職とは言えなくても、一所懸命取り組めば充足感を覚え、心地よい疲れを感じることができます。

解釈の仕方を変え、新しい意味を見出す。簡単に言うと、**「ものは考えよう」**ということです。

ピンチは、チャンスと考える。

トラブルは、DNAのスイッチオンのきっかけだと考える。

その人の持って生まれた気質は変えられなくても、考え方・とらえ方を変えることは可能です。

文化的な刺激は、心と身体の活力源である

目標とビジョンを持って自分の道を歩き続ける

お芝居を観る、スポーツ観戦をする、映画鑑賞をする、本を読む、音楽を聴く、芸術にふれる。こうした文化的な活動から刺激を受ける人も、大勢います。

心の状態を健やかに保つには、定期的に「文化的な刺激」にふれることも必要です。

特に、音楽、演劇、舞踊、映画、アニメーション、マンガ等の芸術文化は、人々に感動や生きる喜びをもたらします。

私がミステリー小説を愛読しているのは、小説の中で描かれる不愉快な刺激によって、「安全性の確認」ができるからです。

殺人、強盗といった不愉快な刺激にさらされることで、「自分は、この小説の登場人物と違い、安全である」ことが確認できます。悲劇もまた、前向きに生きるために必要な刺激です。

シドニー五輪女子マラソン金メダリストの高橋尚子さんは、練習中やレ

ース前にhitomiの『LOVE 2000』を愛聴し、テンションを上げていたそうです。高橋尚子さんにとって『LOVE 2000』は、「ＤＮＡのスイッチをオンにする刺激」だったわけです。

オーストリア出身の経営学者、ピーター・ファーディナンド・ドラッカーは、イタリアの作曲家、ジュゼッペ・ヴェルディの最晩年の作品『ファルスタッフ』と出会い、大きな衝撃（刺激）を受けました。

原作はウィリアム・シェイクスピアの喜劇『ウィンザーの陽気な女房たち』と『ヘンリー四世』。ヴェルディの26作品の中で、2作しかない喜劇です。

『ファルスタッフ』は、ヴェルディが80歳のときに作曲した、最後のオペラになります。

作曲家として功なり名遂げたヴェルディは、なぜ80歳にもなって、難曲に取り組んだのでしょうか。その問いにヴェルディはこう答えたそうです。

「完全を求めて、いつも失敗してきた。だから、もう一度挑戦する必要があった」

ドラッカーは、この言葉を人生の道しるべとし、失敗を恐れず、挑戦し、刺激を求めました。そして、「いつまでもあきらめずに、目標とビジョンを持って自分の道を歩き続けよう。失敗し続けるに違いなくとも完全を求めていこうと決心した」のです（参照：『プロフェッショナルの条件』、ダイヤモンド社）。

文化は、生きるモチベーションに直結しています。最低でも月に一度、「文化的な刺激」にふれる機会を設けておくと、心と身体に活力が充填（じゅうてん）されます。

おわりに

知的な情報発信

知的アウトプットとは、知的な素材に「自分の解釈、コメント、考え」をプラスして、アウトプットすることです。「自分の解釈、コメント、考え」がない情報発信は、知的とは言えません。

2015年3月に、東京大学教養学部が、「期末レポートにおける不正行為について」という告知をネットに掲載しました。

「平成26（2014）年度冬学期の期末の課題として提出されたあるレポートの文章の約75パーセントが、インターネット上に公開されている文章からの引き写しであることが判明した」というのです（参照：産経ニュース、2015年3月31日配信）

たしかに、ある時期から、「ネット情報をコピー＆ペースト（コピペ、切り貼り）してレポートを作る学生」が目にとまるようになりました。

学生が提出したレポートを読み進めていくと、ほかの学生のレポートにも、「まったく同じ文章」が登場するのです。

インターネットが普及する前から、先人の研究成果を引用することはありました。ですがそれはあくまでも引用であり、カギカッコで括って、出典を明記するのがルールでした。そして、引用した文章から思考を発展させながら、自分なりの考察・定義を完成させていたわけです。

ところが今はそのルールを無視して、先人の研究成果や他人の情報を「自分の成果」「自分の文章」として偽る学生もいます。

コピペがなぜダメなのかといえば、「知的所有権を侵害する犯罪行為」であると同時に、自分の頭で考えない限り、知的生産力は高まらないからです。引用そのものは、出典を示すという先人の知的生産へのリスペクトがあるので、問題ありません。

研究でも、論文でも、仕事でも、「その人でなければできないこと」「その人の人間性が投影されたもの」が加えられた成果物は高く評価されます。そのためには、他人の考えを無断で拝借するのではなく、自分の頭で考える習慣を身につける必要があります。

今の社会で求められているのは、「オリジナルの結論」

情報を丸呑みにして、そのままアウトプットする。これでは、情報を右から左に流したにすぎず、知的生産ではありません。

その情報から自分はどんな意味、どんな概念、どんなコンセプトを導き出したのか。今の社会で求められているのは、「オリジナルの結論」です。

アウトプットを知的にするには、インプットした情報の本質や文脈を見極めて、自分の言葉に置き換えて、自分化する必要があります。

ネット時代に淘汰されることなく生き残っていくためには、「コピペ人間」になってはいけません。

自分の頭で情報を精査し、自分の頭で本質を見抜き、自分の頭で答えを見つけ、新しい切り口を生み出す力が必要なのです。

その力こそが、知的生産力だと私は思います。


最後になりましたが、この本を作るにあたり、CCCメディアハウスの山本泰代さん、ライターの藤吉豊さんに大変お世話になりました。ありがとうございました。

2020年2月

齋藤 孝

知的生産力

2020年3月10日　初版発行

著　者　　齋藤 孝
発行者　　小林圭太
発行所　　株式会社 CCCメディアハウス
〒141-8205 東京都品川区上大崎3丁目1番1号
電話　　販売　03-5436-5721
　　　　編集　03-5436-5735
http://books.cccmh.co.jp

編集協力　　藤吉 豊（株式会社文道／クロロス）
ブックデザイン　　TYPEFACE（A.D.渡邊民人 D.谷関笑子）
本文イラスト　　藤井彩子
印刷・製本　　株式会社新藤慶昌堂

ISBN 978-4-484-20203-7